Hetty van Aar

Eline modekoningin

Standaard Uitgeverij

Dit boek is speciaal voor:

Aet, Akie, Alana, Alexia, Alissa, Alissia, Alma, Amber, Amel, Amelie, Amelle, Amy, Anaiis, Angeli, Aniek, Anissa, Anju, Anke, Anna, Annelie, Annelie, Anneloortje, Annelore, Anno, Ann-Sophie, Anse, Ariëlle, Axelle, Babette, Babsie, Bara, Bo, Britt, Camille, Carmen, Caro, Celine, Chari, Charlie, Charlotte, Chelsea, Chloë, Cila, Claudia, Cody, Crissy, Dagmar, Daniëlle, Danique, Daphné, Delphine, Demi, Denise, Deymi, Diedelinde, Dora, Dorien, Dyna, Ebe, Eden, Eden, Eefje, Elena, Eline, Ellen, Elles, Ellie, Elo, Else, Emily, Emma, Ems, Emy, Esther, Esther, Eva, Evelien, Farah, Fatima, Fatma, Febe, Felice, Femke, Fenna, Fien, Fientje, Fleur, Freya, Frietje, Gitte, Gul, Hannah, Hanne, Hanni, Hanni, Hayley, Helder, Heleen, Helen, Ibe, Ilse, Ilzy, Imani, Ineke, Ines, Inez, Inne, Jade, Jamie, Jana, Janneke, Jaske, Jentina, Jéromine, Jessie, Johanna, Jojo, Joline, Joyce, Julia, Julie, Justine, Juultje, Kaat, Katelijne, Kato, Katy, Kiarra, Kiki, Kim, Kristl, Lara, Larissa, Laura, Laurien, Laurien, Laurtje, Leah, Leentje, Lena, Lexxi, Liese, Lieze, Lily, Lina, Lisa, Lisanne, Lizzy, Loes, Loesje, Lola, Loortje, Lor@, Lore, Loren, Lotte, Louise, Lourdes, Lulu, Luna, Lynn, Maaike, Manon, Mara, Maram, Margo, Margot, Marie, Marieke, Marietje, Marije, Marion, Marlies, Marlies, Marlijntje, Marte, Martje, Maryam, Mathilde, Maud, Maud, Maya, Mayke, Mayra, Mazarine, Megan, Melrose, Memo, Merel, Michelle, Mieke, Miley, Miranda, Mirrie, Mona, Moni, Morgane, Nani, Natasya, Nathalie, Nelly, Nina, Ninoe, Noa, Noémie, Olivia, Olly, Paulien, Pauline, Plien, Priscilla, Robine, Rocy-Ann, Romeé, Roos, Roosje, Rosie, Saar, Sami, Sarah, Sarina, Scheyenne, Selena, Shaloe, Shauni, Sien, Siham, Silke, Sofietje, Sona, Sophie, Stephanie, Sule, Summer, Suzanne, T'ke, Tara, Tine, Tonia, Valerie, Victoria, Victorine, Yana, Yara, Yasmine, Yola, Yoni, Yous, Zanna, Zara, Zeynep, Zhara, Zoë

www.standaarduitgeverij.be
info@standaarduitgeverij.be
www.hettyvanaar.nl

Vertegenwoordiging in Nederland
WPG Uitgevers België
Herengracht 370/372
NL-1016 CH Amsterdam

Omslagontwerp: Linda Lemmen
Omslagillustratie: Cécile Hudrisier
Vormgeving binnenwerk: Aksentbvba.be

ISBN 978 90 02 24299 1
D/2011/0034/136
NUR 283

Op de drempel keek Eline nog een keer over haar schouder. Haar ogen gleden kritisch door haar kamer. Van de vrolijk gekleurde kussens naar de glazen pot met koekjes. En van daar langs de fonkelende limonadeglazen op het dienblad naar de geurkaarsjes. Even rustten haar ogen op de kleine boeddha met de bolle buik, die geduldig op een schaaltje met naturelkleurige kiezels zat te wachten op wat komen ging. Toen knikte ze goedkeurend en trok de deur achter zich dicht. Het slaapfeest kon beginnen, alles stond klaar. Er was maar één minpuntje aan: het was pas half twee in de middag en haar vriendinnen zouden om half acht komen. Dat duurde nog eindeloos lang.
Opeens sloeg haar vrolijke stemming om. Sinds ze die ochtend wakker was geworden, was ze met haar kamer bezig geweest. Met het grootste plezier had ze alles opgeruimd en gezellig gemaakt. Nu opeens wist ze niet meer wat te doen. En het duurde nog zo lang voor het avond was.
Met afgezakte schouders slenterde ze naar beneden.

Maar nog voor ze bij de laatste tree was, hoorde ze de brievenbus klepperen. Een zachte plof volgde. Daar lag haar *For Girls Only* magazine op de mat. Meteen vergat Eline haar irritatie. Ze raapte het blad op en liep er langzaam mee naar de kamer. Opgekruld op de bank begon ze te lezen. Maar al gauw veerde ze overeind. Want wat las ze daar?

Ontwerp je eigen T-shirt!

Vind jij het leuk om je eigen kleding te ontwerpen? Heb jij gevoel voor kleur en vorm? Doe dan mee aan onze grote wedstrijd voor jonge modeontwerpers. Het ontwerpen van je eigen T-shirt is nog maar het begin. Stap voor stap worden de opdrachten steeds moeilijker, tot de beste tien kandidaten van het land overblijven. Zij zullen in de paasvakantie vijf dagen logeren op landgoed De Rozenkrans en daar tegen elkaar strijden om de titel 'Topontwerper van het jaar'. Bekende ontwerpers en stylistes zullen jouw werk beoordelen en je advies geven.
En de hoofdprijs? Als je die wint mag je voor maar liefst 1000 euro aan hippe kleding uitzoeken in de filialen van de winkelketen Y&B, Young & Beautiful. En... dat is nog niet alles. Er komt een modereportage van jou in dit magazine.
De negen kandidaten die naast de titel grijpen, krijgen allemaal een tegoedbon van Y&B van maar liefst 100 euro. Dat is toch niet mis voor een troostprijs!
Zie jij jezelf al lopen in zo'n blitse Y&B-creatie? Lees dan gauw verder, ga aan de slag en doe mee.

Eline droomde weg boven haar magazine. Een ontwerpwedstrijd... dat was echt iets voor haar!
Ze zag zich al staan op de catwalk na een succesvolle modeshow, terwijl het publiek en ook de modellen haar toejuichten. Iets mooiers kon ze niet bedenken.
Plotseling opende ze haar ogen. Ze zou niet de enige zijn die aan de wedstrijd mee ging doen. Iedereen wilde natuurlijk Topontwerper van het jaar worden, dat snapte ze heus wel. Zelfs haar beste vriendinnen zouden straks misschien haar grootste tegenstanders zijn.
O jee... al die concurrentie verkleinde haar kansen.
Het zou veel fijner zijn als haar vriendinnen niet meededen. Het zou misschien beter zijn als ze niets van de wedstrijd hoorden.
In een reflex stopte Eline het tijdschrift onder een kussen van de bank. Meteen haalde ze het weer tevoorschijn. Bah, Eline, wat kinderachtig! Al haar vriendinnen hadden een abonnement. Het magazine verstoppen was net zoiets als struisvogelgedrag.
Yelien, Ellen, Emma en Kato zaten misschien precies op dit moment wel te lezen over de wedstrijd. Ze zouden natuurlijk allemaal mee willen doen. En ze waren nog goed ook. Oké, Kato was iets minder modegevoelig. Maar de anderen waren gewoon goed.
De moed zonk haar in de schoenen. Ze had natuurlijk geen schijn van kans. Met haar kin op haar handen staarde ze voor zich uit. Waarom had ze eigenlijk geen schijn van kans? Ze kon toch best aardig tekenen? En ze was heel modebewust. Ze had talent, bedacht ze. 'Kom op', zei ze zacht tegen zichzelf. 'Als

je hier blijft zitten zeuren, win je helemaal niets. Aan de slag!'
Haar gedachten waren al druk bezig met ontwerpen toen ze weer op de drempel van haar opgeruimde kamer stond. Nee, het was niet zo'n goed idee om hier te gaan werken. Ze pakte haar tekenblok en haar etui met potloden, pennen en stiften en liep naar de logeerkamer. Daar stond een lege tafel en in de hoek wachtte de flip-over van mama met grote, witte tekenvellen. Eline legde haar blok en etui op tafel en dacht: hoe versier ik een T-shirt?
Met verf, was haar eerste gedachte. Je kon met een kwast iets op een shirt schilderen. Maar je kon het shirt ook in een verfbad dopen. En om het spannend te maken kon je stukjes stof met touwtjes of elastiekjes afbinden, zodat daar geen verf kwam. Dan kreeg je decoratieve kringen. Dat zag er grappig uit, maar ze ging haar shirt niet verven.
Je kon ook foto's op een shirt strijken. Dan werd het wel een heel persoonlijk shirt. Met haar ogen dicht probeerde Eline zich een voorstelling te maken van het shirt. Hoe zou het eruitzien met een foto van haar vriendinnenclub? En dan met zwierige, roze letters erboven:

For Girls Only

Mmm, dat kon misschien wel wat worden. Daar moest ze eens over nadenken. Op een groot tekenvel schetste ze in een paar lijnen de omtrek van een shirt met daarin de tekst: *For Girls Only.* Ze krabbelde een korte

aantekening op haar tekenblok en dacht weer na.
Weet je wat ook leuk was? Dat ze een vrolijk stropdasje op een shirt tekende en het shirt verder versierde met al net zo vrolijk gekleurde knoopjes. Ze kon er nog een zakje op tekenen waar een klein zakdoekje uitstak. Wel een echt doekje natuurlijk, net zo echt als de stropdas. In gedachten zag ze het voor zich. Ze zou gele knoopjes met rood garen vastzetten en rode knoopjes met blauw garen. Dan zag het er nog fleuriger uit. Ze sloeg het blad op de flip-over om en begon opnieuw te schetsen. Eerst het shirt, daarna het dasje, het zakje met de zakdoek... Zie je wel, zo'n nepdasje stond best grappig op zo'n shirt. Heel origineel.
Was er nog meer origineels te bedenken?
Haar vingers friemelden aan het potlood terwijl haar gedachten in het rond dwarrelden. Het was nog best lastig om snel iets origineels te bedenken. En dan ook nog iets waar een modejury van onder de indruk was. Waar moest ze haar inspiratie vandaan halen?
Van internet misschien wel! Ze kende wel een paar websites waar je zelf mode kon ontwerpen. Of waar je zelfgetekende ontwerpen naartoe kon sturen.
Ze zette haar laptop aan en surfte op het internet. Bij het zien van al die kleurige ontwerpen zonk de moed haar in de schoenen. Help! Wat was iedereen goed!
Dat vlotte, korte jack met lange trui en legging...
Die zachtroze avondjurk met een roomkleurig topje, het geruite minirokje met bloes, het zag er allemaal fantastisch uit. Moest zij de strijd aangaan tegen zoveel talent? Ze zuchtte. Maar zelf kon ze toch ook

wel wat? Zo slecht was ze toch niet? Bij het zien van al die mooie kleren op internet twijfelde ze opeens of ze wel mee moest doen.
Toen mama riep dat het etenstijd was, had Eline juist besloten dat ze toch maar een poging moest wagen. Als je niet meedeed wist je zeker dat je niet won.
Ze wist nog niet wat ze zou doen vanavond. Zou ze haar schetsen aan haar vriendinnen laten zien? Of gewoon haar mondje dicht houden over die wedstrijd?
'Hebben jullie het nieuwe magazine al gelezen?' vroeg Yelien.
Ze zaten in een kringetje in de kamer van Eline. De kaarsjes op de lage tafel verspreidden een zachtzoete vanillegeur. Het theelichtje onder de vruchtenthee scheen met een warme gloed.
'Is het niet knus?' vroeg Kato, terwijl ze met haar zelfgebakken koekjes rondging.
Eline sloeg allebei haar handen om de warme theemok. Gelukkig, dacht ze, niemand heeft Yeliens vraag gehoord.
Precies toen ze dat dacht, vroeg Yelien nog eens: 'Hebben jullie het nieuwe magazine al gelezen?'
Emma knikte. 'Die modereportage is tof! Ik zou zo graag die schoenen willen die erin staan. Ik heb mama de foto laten zien, maar ze was te druk bezig met koken. Jammer.'
'Welke schoenen?' vroeg Ellen.
Emma stak haar hals uit en keek rond. 'Daar ligt Elines tijdschrift', zei ze terwijl ze naar de mand naast het bed wees.

Hulpvaardige handen gaven het blad door aan Emma, die op zoek ging naar de schoenen. 'Kijk, deze vind ik zo mooi.'
Eline knikte stilletjes terwijl iedereen de schoenen bewonderde.
'Die rok en bloes staan er perfect bij', wees Yelien. 'Vind je niet?'
Emma knikte enthousiast. 'Dat heb ik maar niet tegen mama gezegd.' Ze zuchtte. 'Op die modefoto's past altijd alles perfect bij elkaar.'
'Ja, daar hebben ze nooit last van een rok van vorig jaar die nog wel een seizoen meekan', zei Kato.
Ellen knikte. 'Of een bloes in een kleur die niet meer in de mode is. Alles klopt altijd op die foto's. Zelf heb je dat nooit. Ja, behalve Eline dan.'
'Ja, Eline,' onderbrak Yelien, 'heb je die ontwerpwedstrijd gezien? Dat is echt iets voor jou.'
'Ja, ik moest meteen aan jou denken', zei Ellen.
Emma knikte. 'Als er iemand van ons kans zou maken op de titel, dan ben jij het wel.'
Eline kleurde licht. 'Meen je dat echt?'
'Ja natuurlijk!' riep Yelien. 'Jij weet altijd alles perfect te combineren. Jij weet ook altijd wat wel en niet kan.'
'Jij bent onze mode-expert', zei Ellen.
'Ja, jij weet van iets ouds nog iets leuks te maken', knikte Emma.
'Je bent gewoon de kers op de taart, jij maakt iets speciaal', lachte Kato.
Eline bloosde flink bij het horen van zoveel complimentjes. Haar twijfels waren gesmolten als ijsklontjes in een glas. 'Kom dan maar kijken.' Ze

sprong op en nam haar vriendinnen mee naar de logeerkamer. Op de drempel bleven ze staan.
Eline liep naar de flip-over. 'Kijk, ik heb twee schetsen gemaakt.'
'Een *For Girls Only* T-shirt!' riep Ellen.
'Dat vind ik super.'
'Echt tof', knikte Emma.
Eline sloeg het blad om.
'Hier heb ik een ander ideetje geschetst.'
Even was het stil. Toen zei Yelien: 'Wat zou de jury het mooiste vinden? Want daar gaat het om.'
Opeens waren ze druk door elkaar aan het praten. Maar aan het eind van het lied wist nog niemand wat de jury het mooiste zou vinden.
'Dat weet alleen de jury', besloot Kato. 'Maar zelf vind ik die met dat dasje wel leuk.'
'Wel vrolijk met al die kleurtjes', vond Ellen.
'En ons vriendinnenshirt dan?' vroeg Yelien. 'Vinden jullie dat niet speciaal?'
'Het is nog niet af', zei Eline snel. 'Waar ik nu een schets heb staan komt een leuke foto of tekening van ons. En rondom de roze letters van *For Girls Only* wil ik zilveren glitters strooien. Misschien moet ik er nog iets bij maken, maar ik wist niet zo goed wat... Roze strikjes? Meer glitters?'
Druk door elkaar pratend bestudeerden ze de ontwerpen van Eline, tot Kato zei: 'De thee wordt koud en de koekjes worden oud.'
'Kom op, Kato, niet overdrijven', protesteerde Ellen. 'Zojuist waren jouw koekjes nog knapperig vers en superlekker.'

‘Kom, we gaan proeven of dat nog zo is’, zei Kato.
Lachend gingen ze terug naar de kamer van Eline. Na de thee en nog meer koekjes zei Yelien: ‘Eline moet meedoen aan die wedstrijd, vinden jullie niet?’
Ze knikten vol overtuiging.
‘Maar met welk ontwerp?’ vroeg Eline zich licht paniekerig af. ‘Ik heb op internet gekeken en daar zag ik zoveel mooie ontwerpen. Ik krijg nu al de kriebels. Help!’
‘Rustig maar’, suste Yelien.
‘Je hebt nog tijd genoeg om iets moois te bedenken’, zei Kato.
‘De beste ideeën komen vaak op het laatste moment’, wist Ellen.
‘Je kunt het, dat weet ik zeker’, zei Emma bemoedigend.
‘Gaan we verder nog iets doen? Ik bedoel: op het slaapfeest?’
Als door een wesp gestoken sprong Eline op. ‘Ja, natuurlijk. Wacht...’ In de keuken had ze schaaltjes klaargezet voor knapperige knabbeltjes. En in haar boekenkast lagen drie romantische films. Daar konden ze tot diep in de nacht met open ogen bij wegdromen. Het was immers een slaapfeest, nietwaar? Alleen zou ze het door de ontwerpwedstrijd bijna vergeten zijn.

2

Eline zwaaide haar vriendinnen uit. Het was een zalig slaapfeest geweest, maar nu had ze haar tijd hard nodig voor de wedstrijd. Ze trok zich terug op haar kamer. Met grote stappen liep ze heen en weer. Wat kon je allemaal met een T-shirt doen om het mooi te maken? Er kwamen spontaan enkele ideetjes bij haar op. Maar die vond ze niet goed genoeg. Zou ze dan toch het *For Girls Only*-shirt gaan uitwerken? Ze wilde wel graag, maar toch deed ze het niet. Er waren al zoveel T-shirts met een plaatje erop en wat glitters eromheen. De jury zou het vast niet origineel vinden. Haar ontwerp moest bijzonder zijn, vond ze. Zou ze dan toch maar dat shirt met het dasje uitwerken? Ze twijfelde. Zelf vond ze dat idee wel leuk, maar toch... O, die ellendige twijfels. Waarom was dat shirt misschien niet goed genoeg? Opeens wist ze waarom: haar ontwerp moest iets zeggen, een klein verhaaltje vertellen. Maar wat voor een verhaal? Ze had geen flauw idee. Ze ijsbeerde door haar kamer, liet zich op haar bed vallen en sprong weer op om een cd op te zetten. Misschien zou muziek haar inspireren.

Maar niets hielp. En het was al zo laat, want ze hadden uitgeslapen. Straks was de dag voorbij zonder dat ze iets bedacht had. Wat een ramp.
Stilletjes ging ze aan haar bureau zitten. Ze piekerde zich suf en zat intussen wat op papier te krabbelen. Moest je dat zien, ze had een katje getekend. Het leek Mimauw wel, het katertje van Emma.
Opeens kreeg ze een idee. Ze begon te schetsen. Een lijfje, vier pootjes, een staart en een paar flinke snorharen... Mimauw stond ondeugend onder aan de bladzijde en keek naar boven. En wat was er boven te zien? Zijn pootjes. Eline tekende zijn pootafdrukken: één wat grotere vlek met drie kleine vlekjes erboven. Ja, zo moest het worden. Ze had die pootjes wel gezien. Aan de onderkant zaten zachte, roze kussentjes. Ze liep naar de kamer met de flip-over om haar ontwerp in het groot te tekenen. Links onderaan het shirt kwam Mimauw. Van daaruit maakte ze een spoor van pootjes dwars over de voorkant omhoog naar de rechterschouder van het shirt. En dan ging het trip-trip-trip recht naar beneden over de achterkant van het shirt. Daar liepen de pootjes keurig langs het randje terug naar Mimauw.

Eline zette een stap naar achteren en keek naar de schets die ze had gemaakt. Ze hield haar hoofd schuin en dacht na. Toen tekende ze een omgevallen melkpak naast Mimauw met een plasje melk erbij. Tevreden knikte ze. Nu was het duidelijk waar dat spoor van pootjes vandaan kwam: Mimauw was door de melk gelopen.

Tot het bedtijd was, zat ze druk te tekenen en te kleuren.
De volgende dag nam ze Emma mee naar huis om haar ontwerp te keuren. Emma wist als geen ander of Mimauw goed getekend was.
'Ach, wat een schatje', jubelde Emma. 'Sprekend Mimauw. Nu wordt hij een echte designkat. Wow! Als hij maar geen kapsones krijgt. Wat mooi, Eline. Ik vind het zo leuk geworden, hiermee win jij vast..'
'Meen je dat?' vroeg Eline hoopvol.
'Ik weet het wel zeker', knikte Emma.
Misschien was het wel een goed idee om mijn eigen ontwerp uit te werken, dacht Eline. Om niet alleen een tekening maar ook een echt shirt te maken. Daar was ze wel even zoet mee. Maar aan het einde van de week was het T-shirt met Mimauw al klaar. Eline had het helemaal volgens haar eigen ontwerp uitgewerkt. Op het laatste moment had ze besloten een fluwelen halsbandje op het shirt te naaien. Een halsband met een belletje eraan, net zo'n belletje als Mimauw ook droeg. Voor de pootafdrukken had ze een stempel gemaakt van een halve aardappel. Op het snijvlak had ze de pootafdruk getekend en daarna de omtrek weggehaald met een scherp mesje. De pootjes zagen er schattig uit zo kris kras over dat shirt. Tevreden keek Eline ernaar. Toen aarzelde ze opnieuw. Wat moest ze nu opsturen? En hoe?
Dat stond allemaal wel duidelijk vermeld in de spelregels. Je kon je tekeningen mailen naar de jury, maar je kon ze ook per post opsturen. Dat was toch duidelijk, nietwaar? Maar Eline twijfelde. Ze keek van

het ontwerp dat ze getekend had naar het shirt dat ze gemaakt had. Het shirt zag er veel echter uit dan de tekening. Veel mooier ook, het was net of je Mimauw kon aaien. Als je het shirt bewoog, hoorde je het kattenbelletje rinkelen. Dat moest de jury horen, zien en voelen, dacht Eline. Dan maakte ze veel meer kans om te winnen. Ze stopte het T-shirt samen met het papieren ontwerp in een grote envelop en bracht die naar het postkantoor. Weer thuis las ze alle regels op de website nog eens door. Opeens viel haar dat ene regeltje op, midden tussen al die andere regels op een beeldscherm vol letters: 'Wij sturen geen ontwerpen of kledingstukken terug.' Au! Dat deed even pijn. Wat jammer, ze was van plan geweest het T-shirt aan Emma cadeau te geven. Misschien maakte ze opnieuw zo'n shirt. Wie weet... Daar had ze voorlopig wel tijd voor, want het duurde een hele poos voor ze de uitslag kon verwachten.

Het lange wachten begon.
Het duurde en het duurde...
'Ik haat wachten', verzuchtte Eline na een week tegen haar vriendinnen.
'Ik kan er echt niet meer tegen', klaagde ze na drie weken.
Haar vriendinnen spraken haar moed in. 'Nog even volhouden. Nu zal het vast niet lang meer duren.'
Maar er ging weer een week voorbij.
'Ik krijg nog liever vandaag te horen dat ik buiten de prijzen val, dan dat ik tot morgen moet wachten', riep Eline. 'Hier word ik gek van! Trouwens, ik heb

niet gewonnen, anders had ik vast wel een berichtje gekregen.'
'Kom op, Lientjepientje, nog even volhouden!' troostten haar vriendinnen. 'Er zijn helemaal nog geen winnaars bekendgemaakt. Je maakt heus nog wel kans.' Maar dat laatste klonk een beetje aarzelend, alsof ze er zelf ook al bijna niet meer in geloofden.
Een paar dagen later viel er een grote envelop op de deurmat. Voor haar, zag Eline. De letters dansten voor haar ogen. Dat kwam omdat haar handen zo trilden. Net als haar vingers. Die pieterpeuterden om de envelop open te maken, maar het lukte niet. Eline slikte. Haar keel was dik en droog. Zou ze nu eindelijk de uitslag krijgen? Dit hield ze geen seconde langer vol. Ze liep naar de keuken, greep een mes uit de la en ritste in een vloeiende beweging de envelop open. Eindelijk! Ze haalde een brief tevoorschijn. Daar viel wat uit. Het was een plaatsbewijs. Hoezo? Waar was dat voor? Eline begon snel te lezen.

Beste ontwerper in de dop,

Allereerst onze excuses omdat we je lang op de uitslag lieten wachten. Maar dat kwam zo: jullie hebben massaal ontwerpen naar ons gestuurd. Uiteindelijk kwamen er meer dan 2500 inzendingen binnen. Die hadden allemaal recht op een eerlijk oordeel van de jury en dat kostte tijd. Vandaar...
Maar nu is de uitslag bekend. Daarom nodigt de organisatie je uit op zaterdagmiddag om twee uur in de

Evenementenhal. In een flitsende show worden daar de namen van de honderd winnaressen bekendgemaakt. Misschien hoor jij daar ook bij, wie weet...
Een gratis plaatsbewijs voor twee personen vind je bij deze brief. Wegens plaatsgebrek is het helaas niet mogelijk meer dan één persoon mee te nemen.
Tot zaterdag.

Namens de organisatie,

Marilyn

Marilyn? dacht Eline. Toch niet dé Marilyn van de televisie? Dat moest ze nog even uitpluizen. Stel je voor, dan had ze zo maar een brief gekregen van de beroemde Marilyn. Het meisje had de ene na de andere modellenwedstrijd gewonnen. Tussen de bedrijven door had ze op school examen gedaan en haar diploma gehaald en nu presenteerde ze televisieprogramma's en shows in het land. Zo zie je maar waar zo'n wedstrijd toe kon leiden. Zo kon het dus gaan. Er zat nu een piepklein kansje in dat ze zelf misschien ooit een beroemd ontwerpster zou worden. Maar dan moest zaterdag wel blijken dat ze bij de honderd winnaressen hoorde. En die honderd moesten het dan weer tegen elkaar opnemen, net zo lang tot er maar eentje overbleef: de Topontwerper.
Het was nog een lange weg te gaan. Ze zuchtte ervan. Eigenlijk kon ze niet zo goed uitstaan dat ze nu nog niets wist, ondanks de mooie brief. Wachten tot

zaterdag... dat werd weer aftellen. Nog vijf nachtjes slapen, om te beginnen.
Zou ze mama bellen? Nee, toch maar niet. Mama hield er niet van om voor ieder kleinigheidje gebeld te worden op haar werk. En groot nieuws had ze niet.
Zou ze papa een sms'je sturen? Hij zat op een grote meubelbeurs in Milaan. Natuurlijk had ze papa ook geen nieuws te melden, maar ze wilde zo graag dat hij het wist van de brief. Haar vingers gingen razendsnel over de toetsen van haar telefoon:

Haai pap, zaterdag hoor ik de uitslag van de ontwerpwedstrijd. Ik kreeg vandaag een brief van... Marilyn. XXX

Razendsnel kreeg ze antwoord. Zo snel, haar berichtje kon nauwelijks in Milaan zijn, dacht ze. Maar toch moest het daar al zijn, want papa antwoordde:

Knap! Ik duim voor jou.

Eline las het met een glimlach. Toen haalde ze haar schouders op. Hoezo knap? Misschien hoorde ze wel bij de 2400 verliezers. Hoe langer ze erover nadacht, hoe groter ze die kans inschatte. Een kattenshirt... alsof de jury daarop zat te wachten. Nee, die wilden *blingbling* en glamour en glitter. Die wilden show in plaats van kattengemauw.
Zelf wilde ze afleiding. Ze pakte haar telefoon en zocht pijlsnel de nummers van haar vriendinnen.

Ze moesten allemaal weten dat zij een brief had gekregen over de wedstrijd. Een brief van Marilyn nog wel.
Tien minuten later stonden ze samen bij Eline op de stoep.
'We willen die brief met eigen ogen zien', zei Yelien.
Eline viel haar vriendinnen om de hals. 'Wat fijn dat jullie er zijn. Ik kan er echt niet meer tegen, tegen dat wachten. Gek word ik ervan. Ik dacht zelfs even: had ik maar nooit aan die wedstrijd meegedaan.'
'Dat moet je niet denken', zei Ellen snel. 'Als je nergens aan meedoet maak je ook nooit iets mee. Dan wordt het maar een saaie boel. Nu is het tenminste spannend. Voor ons ook. Stel je toch eens voor dat onze allerbeste vriendin Topontwerper van het jaar wordt...'
'Please....', smeekte Eline. 'Mag het ook wat minder zijn?' Opeens schrok ze zichtbaar. 'En als ik helemaal niets win... zijn jullie dan nog wel mijn vriendinnen?'
Verder kwam ze niet. Acht armen pakten haar vast, ze werd zo ongeveer helemaal plat geknuffeld. Happend naar adem maakte ze zich los uit de megaomhelzing. Wow! Dat was heftig!
'We blijven vriendinnen', zei Yelien plechtig.
'Wat er ook gebeurt', knikte Kato.
'Voor altijd en eeuwig', bezwoer Emma.
'Helemaal mee eens', zei Ellen. 'Maar mogen we nu die beroemde brief van je zien?'
'Eh... kom binnen.' Met een lach zwaaide Eline de deur wagenwijd open. Ze kropen op een kluitje op de bank, dicht bij elkaar, zodat ze allemaal tegelijk de

brief konden lezen. Ze bogen er hun hoofden over tot hun haren elkaar raakten.
'Zo, zeg... Marilyn!' verzuchtte Emma. 'Is dat niet dat meisje van tv?'
Eline haalde haar schouders op. 'Ik weet het niet zeker, maar ik denk het wel.'
'Vast wel', zei Kato, die altijd optimistisch bleef. 'Wat tof, dan zie je haar ook eens in het echt.'
Ellen keek dromerig voor zich uit. 'Dat lijkt me best bijzonder, dat je mensen die je alleen maar van tv kent plotseling in het echt ziet. Ik vraag me af of ze er in het echt hetzelfde uitzien...'
'Ik heb wel eens gehoord dat mensen er op de televisie dikker uitzien dan in werkelijkheid', zei Kato.
'Marilyn toch niet?' schrok Emma. 'Zij is echt een perfect model. Zo beroemd, maar toch ook weer heel gewoon.'
Yelien knikte. 'Ja, alsof ze je buurmeisje zou kunnen zijn.'
'Zeg, Eline,' begon Kato, 'als jij alles wint, ik bedoel, als jij echt de beste wordt, doe je dan toch nog gewoon tegen ons?'
Eline kreeg er een kleur van. 'Doe niet zo raar. Natuurlijk blijf ik normaal doen.'
'Ook als je net zo beroemd wordt als Marilyn?' drong Emma aan.
Eline knikte. 'Maar gelukkig word ik niet zo bekend als Marilyn. Een ontwerper werkt meestal achter de schermen. Zijn ontwerpen staan in de schijnwerpers, de ontwerper zelf werkt op de achtergrond. Dus wees maar niet bang dat ik me opeens als een celebrity

ga gedragen. En kunnen we er nu over ophouden? Ik heb nog niets gewonnen. En volgens mij brengt het ongeluk als je de hele tijd praat alsof je alles al kunt.'
'Je hebt gelijk', zei Yelien. 'Wat zitten we ons druk te maken... Wij blijven toch vriendinnen, wat er ook gebeurt.'
'Precies.' Kato stond op en haalde een doosje uit haar tas. 'En om dat te vieren heb ik lekkere hartjeschocolade meegebracht.'
'Hartjes?' Eline keek vragend op. 'Dat is toch voor verliefden?'
'En voor eeuwige vriendschap', zei Kato. 'Toe, neem er een.'
Met haar mond vol chocola stootte Eline opeens een noodkreet uit. Het klonk als: 'oehoeiwsj'.
Alle ogen werden opeens vraagtekens, gericht op haar.
Yelien slikte haar chocoladehartje heel door. 'Wat is er, Eline?'
Er klonk wat onverstaanbaar gemompel, tot de chocolade op was. 'Er is wel een probleem.' Eline klonk ernstig.
'Wat dan?' vroegen alle vriendinnen tegelijk. Ze schoven naar het puntje van de bank en keken met bezorgde gezichten naar Eline. Die wapperde met de brief. 'Kijk maar, ik mag zaterdag maar één persoon meebrengen. Hoe moet dat nu als ik vier vriendinnen heb?'
'We moeten loten', zei Yelien. 'Dat is het meest eerlijke. Behalve als je je vader of je moeder mee wilt nemen.'

Eline schudde haar hoofd. 'Papa komt pas zondag terug uit Milaan. En mama...' Ze was even stil. Toen schudde ze haar hoofd. Nee, mama niet. Sinds ze die ene keer van huis was weggelopen om bij papa te gaan wonen, kon mama zo overdreven doen. Soms zelfs hinderlijk overdreven. Natuurlijk met de beste bedoelingen, dat snapte Eline zelf ook wel. Maar ze werd er soms zo moe van. En daar schaamde ze zich dan weer voor. Vooral op school, op ouderavonden wanneer mama overdreven enthousiast tegen de leerkrachten deed. Help! dacht Eline dan vaak terwijl ze korte schietgebedjes naar het plafond stuurde. Nee, als mama mee zou gaan naar de Evenementenhal dan waren ze meteen het middelpunt van de belangstelling. Mama moest en zou zich dan meteen voorstellen aan de jury. En ze zou tegen iedereen zeggen: 'Kijk, dit is mijn dochter, zij doet mee aan de wedstrijd.' Alles met de beste bedoelingen natuurlijk.
'Zullen we loten?' vroeg Yelien.
'Laten we dat maar doen', vond Eline. Ze pakte vijf kleine blocnotevelletjes en deelde die uit. Ieder schreef haar naam op het papier en vouwde het briefje op tot een piepklein vierkantje. Eline stopte ze in een plastic bakje en schudde ze door elkaar. 'En de winnaar is...'
De vriendinnen begonnen een spannende roffel op hun knieën te trommelen. Eline pakte zonder te kijken een briefje en zette het bakje weg. Langzaam vouwde ze het papiertje open. 'De winnaar is... Emma!'

'Tataa!' tetterde Kato.
'Oeps!' schrok Emma. 'Normaal win ik nooit iets. Wat spannend dat ik met je mee mag. Maar eh... als we volgende keer nog eens moeten loten dan doe ik niet meer mee. Twee keer winnen zou niet eerlijk zijn.'
'Goed idee', vond Eline. 'Ik ben al lang blij dat ik daar zaterdag niet in mijn eentje sta.'
'In je eentje?' Yelien begon te lachen. 'Wees maar niet bang, er zijn nog een paar duizend andere mensen.'
Nu pas snapte Eline haar. 'Ja, maar dat zijn allemaal vreemden. Nu is er tussen al die duizenden mensen tenminste iemand die ik ken. En daar ben ik heel blij om.'
Dat konden ze zich heel goed voorstellen.
'Jammer dat je maar één persoon mee mag nemen', zuchtte Kato. 'Want anders...'
'Ja,' zei Yelien, 'anders had je er zeker vier mensen gekend. Want reken maar van yes dat wij allemaal meegekomen waren om jou te steunen.'
'Dank je wel', zei Eline. 'Dank je wel dat jullie mijn vriendinnen zijn.'

3

Eline en Emma hadden afgesproken dat ze zaterdagmorgen al om half twaalf naar het station zouden gaan.
'Dat is toch veel te vroeg!' riep Elines moeder toen ze dat hoorde. 'Weet je zeker dat ik jullie niet hoef te brengen? Het is echt maar een kleine moeite.'
Eline schudde vastberaden van nee. 'Dat hoeft niet, mam. We kunnen echt wel alleen met de trein. En trouwens... de treinreis duurt maar twintig minuten.'
Elines moeder knikte ongeduldig. 'Ja, maar dan... Dan ben je er nog niet. Dan moet je eerst nog eens de weg naar de Evenementenhal zien te vinden. En in zo'n vreemde stad valt dat heus nog niet mee. Voor je het weet, ben je verdwaald.'
'Daarom gaan we wat eerder, snap je dat dan niet!?' riep Eline uit. Ze kon niet veel meer hebben. Dat kwam ook omdat ze zo lang wakker had gelegen vannacht. Ze moest alsmaar aan vandaag denken. Zou ze bij de honderd uitverkorenen horen? Zo niet, dan was het avontuur al voorbij voor het goed en wel begonnen was. En dat zou ze toch wel heel erg vinden.

Al heel vroeg had ze aan de ontbijttafel gezeten met een kopje thee en een beschuit. Ze voelde zich rillerig in haar dunne ochtendjas. Zou ze ziek worden? Toch zeker niet vandaag? Het leek wel of een onzichtbare klem haar keel dichtkneep. Ze kon geen hap naar binnen krijgen. Nou ja, geen hap... Muizenhapjes waren het. Ze knabbelde muizenhapjes van haar beschuit om ze weg te spoelen met warme thee. Dat was de enige manier om wat voedsel binnen te krijgen. Als ze helemaal niets at, zou ze misschien nog flauwvallen van de spanning. Zeker in een ruimte met een paar duizend meisjes.
Toen kreeg ze het volgende probleem: wat moest ze aan? Het was echt niet zo dat ze daar nu pas aan dacht. Nee, zo zat ze niet in elkaar. De laatste dagen had ze heus wel nagedacht over haar kleding. Wat trok je aan naar een ontwerpwedstrijd? Als ze het allemaal goed gelezen en onthouden had, waren er toch op zijn minst een paar kanjers uit de modewereld aanwezig. Die hadden ogen op steeltjes en zagen alles. Ja toch? Welke ontwerpers kwamen er ook alweer? Help! Haar hersenpan leek wel een vergiet. Daar had ze anders nooit last van.
Nadat ze wel een eeuwigheid voor haar open kleerkast had gestaan, maakte ze twee dagen geleden een definitieve keus. Ze koos voor blauw. Ze zou haar nieuwste inktblauwe jeans dragen met een lichtblauw bloesje. Daarover kwam een mouwloos, roomkleurig topje. Haar blauwe ballerina's maakten het plaatje compleet. Over haar kleding hoefde ze zich geen zorgen te maken. Wat een opluchting.

Maar toen ze vanmorgen in het blauw gehuld voor de spiegel stond, vloog de paniek haar aan. Blauw? Dat was toch geen modekleur? Ze kon toch niet in het blauw? Nadat ze van haar opgeruimde kast een chaos had gemaakt, koos ze voor paars en alles wat daarmee te maken had. En vooral: alles wat ze pas geleden bij *Y&B* had gekocht. Want daar zou de jury misschien ook wel op letten. Haar paarse bloes had lila, roze en purperen streepjes, net als haar legging. Haar korte rokje was paars als een aubergine en vormde een rustig middelpunt tussen de streepjes. Dat was het. Was dat het?
Voor de zoveelste keer keek ze op de klok. Hoe laat was het? Het leek wel of de wijzers zaten vastgelijmd. Ze waren niet vooruit te branden zodat het leek of de tijd stilstond. Gelukkig kwam Emma al vroeg om de haast ondraaglijke spanning een beetje draaglijk te maken.
'Wat zie jij er mooi uit!' zei Emma vol bewondering. 'Alles wat je aanhebt, past perfect bij elkaar. Mag ik zo eigenlijk wel mee?' Ze draaide een rondje op de plek waar ze stond en keek Eline vragend aan.
Eline knikte gedachteloos. Toen pas keek ze. En het leek of ze haar vriendin nu pas echt zag: een stralende Emma die er leuk uitzag. Ze keek nog eens en liet haar ogen van beneden naar boven glijden. Die schoenen kende ze van het plaatje uit het magazine.
'Ach, wat fijn voor je. Heb je toch die nieuwe schoenen?'
'Ja, gisteren gekocht, dan kon ik ze vandaag aan.'
Elines ogen gleden omhoog van de nieuwe schoenen

naar de spijkerbroek waarin Emma toch minstens al een half jaar rondliep. Dat blauwe hemdje was ook niet nieuw meer. En dat wit met blauw gevlekte vest was beslist van vorig jaar. Wat mode betrof, kreeg Emma een dikke onvoldoende. Toch zag ze er vlot en vrolijk uit, helemaal niet saai. Dat kwam door haar lach en door haar vrolijke ogen. Mooie ogen, het leek wel of Eline dat nu pas voor het eerst zag. Met lichte verbazing keek ze naar haar vriendin. Mooi zijn had helemaal niets te maken met mode of design. Het ging erom of je goed in je vel zat. Als je gelukkig was, zag je er vanzelf mooi uit. Mooi vanbinnen is ook mooi vanbuiten, dacht Eline. Voor het eerst vroeg ze zich in alle ernst af waarom ze toch aan die ontwerpwedstrijd had meegedaan. Al gauw wist ze het antwoord. Ze wilde mensen helpen om er een beetje mooier uit te zien. En daar was niets mis mee.
O jee, daar kwam haar moeder aan. 'Zal ik jullie straks toch maar brengen?'
Eline schudde haar hoofd. 'Dat hoeft niet.'
Tot overmaat van ramp begon haar moeder opnieuw te zeuren. Dat kon Eline er nu net niet bij hebben. Samen met Emma had ze de reis goed voorbereid. Op internet hadden ze alles uitgeplozen. Hoe laat er treinen gingen en hoe je van het station naar de Evenementenhal moest lopen. Dat bleek toch nog een aardig eind te zijn, maar gelukkig reden er bussen. Lijn 4 moesten ze nemen. Die wachtte achter het station en bracht hen in tien minuten naar de Evenementenhal. Dat moest lukken, dacht Eline. Alles was beter dan dat mama haar bracht.

Met mama wist ze zeker dat ze niet op tijd kwam. Of nog erger: dat ze er helemaal niet kwam. Want haar moeder wist nergens de weg. Gelukkig hadden slimme uitvinders daar iets op bedacht: de tomtom. Jammer genoeg was haar moeder te eigenwijs voor het navigatiesysteem. Eline kon dromen hoe dat ging. Dan zei de wegwijzer: 'Ga bij de volgende afslag rechts. Ga rechts.'
Mama minderde dan vaart en keek nieuwsgierig naar rechts. 'Nee', zei ze dan vastbesloten. 'Dat straatje lijk me niets. Daar kan nooit zo'n bekende modezaak zitten. Ik kijk nog wel even verder.'
Dan tuften ze de rest van de middag rond door zo'n stad, terwijl het navigatiesysteem alsmaar riep: 'Ga terug! Ga terug!' Totdat mama het systeem resoluut uitschakelde en zonder begeleiding verder verdwaalde. En dat mocht vandaag niet gebeuren.
'We gaan', zei Eline. Ze trok haar jas aan, zwaaide naar haar moeder en liep samen met Emma de voordeur uit. Toen pas slaakte ze een diepe zucht. 'Pffff, eindelijk ontsnapt! En we zijn mooi op tijd voor de trein.'
Emma giechelde van opluchting. Ze werd altijd een beetje zenuwachtig van het gekibbel tussen Eline en haar moeder. Ze was blij dat het tussen haar en haar eigen moeder anders ging.

Het was druk in het station. In de trein zaten opvallend veel meisjes, de meeste in gezelschap van hun moeder, waarschijnlijk, dacht Eline. Ze voelde even een steek van jaloezie. Waarom eigenlijk? Omdat

die meisjes wel met hun moeder op stap waren en zij niet? Onzin. Resoluut schoof ze dat prikkende gevoel opzij. Zij was juist blij dat haar moeder niet meeging. Bovendien had ze Emma, ze was dus niet alleen. En vooral niet zielig. Waar ze zich meer zorgen om maakte, waren al die meisjes. Zouden die allemaal meedoen aan de wedstrijd? vroeg ze zich af. Haar ogen gleden door de volle treincoupé. Er zaten meisjes tussen die zo in een magazine konden poseren. Ze zagen er zo perfect uit... Ze leken wel fotomodel. Eline voelde de moed in haar schoenen zinken. Er zaten ook een paar eigenzinnige types tussen, in een wonderlijke uitrusting die ze ongetwijfeld zelf bedacht hadden. Daar rechts vooraan bijvoorbeeld... Onwillekeurig rekte Eline haar hals om meer te kunnen zien. Daar rechts vooraan zat een meisje met een bos blonde krullen, gewikkeld in meters bloemetjesstof. Heel apart, vond Eline, maar dat meisje was natuurlijk kansloos. Bloemetjesstof was toch niet in? Wat dichterbij zat een zwaar opgemaakt meisje dat van haar gezicht een schilderwerkje had gemaakt. De kleren die ze droeg waren al even opvallend. Het leek wel of ze de kleerkast van haar grootvader geplunderd had, dacht Eline met een gevoel van opluchting. Haar zelfvertrouwen groeide weer een beetje. Alhoewel... dat meisje had ook grootvaders hoed op en dat maakte het totaalplaatje weer interessant.
De trein minderde vaart. Eline greep Emma's mouw beet. Haar hand trilde een beetje. De zenuwen speelden weer op, zelfs nu haar moeder op veilige

afstand was. Toen de trein stopte, stonden ze zwijgend op. Ze stapten uit en gingen op weg naar de achterkant van het station. Voor hen liep een lange rij meisjes, met en zonder moeders. Eline keek om. Achter hen zag het er al net zo uit. Op het plein met bussen werd het pas echt erg. Overal liepen meisjes, waar je ook keek. Bij de bushalte van lijn 4 stond een menigte meisjes te wachten.
'Help!' schrok Emma. 'Die passen nooit in een bus. Kunnen we niet beter gaan lopen?'
Eline twijfelde even. Het was een pittige wandeling. En als ze ergens verkeerd afsloegen... Dan nog liever platgedrukt in een bus met de massa mee. 'O kijk,' wees ze, 'daar komt al een bus aan met een vette vier erop.'
'Evenementenhal', las Emma hardop. 'Die moeten we hebben.'
Vlak achter de bus reed nog een bus. En daarachter nog een. En nog een. Er kwam geen einde aan de optocht van bussen. Extra dienst, stond erop. Ze volgden lijn 4 naar de menigte meisjes. Even was er geduw en gedrang. Eline leek haar evenwicht te verliezen maar bleef toch overeind. Enkele minuten later stond er geen meisje meer bij de halte en waren vier overvolle bussen op weg naar de Evenementenhal. Eline wist een lus boven haar hoofd vast te grijpen. Emma klampte zich aan Eline vast. Omvallen konden ze niet. Er was geen millimeter vrije ruimte in de bus. Gelukkig duurde de rit niet lang. Nog geen tien minuten later werd de Evenementenhal in beslag genomen door een paar duizend meisjes.

‘En ik dacht nog wel dat wij zo vroeg waren.’ Emma klonk teleurgesteld.
‘Iedereen dacht er blijkbaar net zo over.’ Eline keek nieuwsgierig om zich heen. ‘Daar is de stand met het *FGO*-magazine. Zullen we daar straks even gaan kijken?’
‘Ja, leuk.’ Emma knikte enthousiast. ‘En daarginds staan ze volgens mij make-up uit te delen. Zie je dat?’
Ze sloten aan bij de lange rij en schuifelden voetje voor voetje langs de kramen. Ze kregen gratis lipgloss, magazines, een pakje tissues, een modeblad en kortingsbonnen voor de kapper. Zo, dat was boffen. Met een tas vol spullen zochten ze een plaatsje in de grote zaal.
Al gauw gaf Eline Emma een por. ‘Kijk daar eens! Daar loopt Marilyn...’
‘Waar?’ Emma veerde op. ‘Jee, ze is in het echt veel kleiner dan ik dacht.’
‘Wel raar om haar van zo dichtbij te zien’, mijmerde Eline. ‘Ze lijkt net echt, maar toch ook weer niet. O en daar...’ Ze begont zachtjes te praten. ‘Dat is toch die bekende modeontwerpster...’
‘Vivian V’, knikte Emma.
‘Ja, Vivian V! Zij zit in de jury.’ Eline schoof onrustig op haar stoel heen en weer. Nu begon het menens te worden. Ze keek hoe Vivian V het podium beklom, aan de lange tafel ging zitten en geroutineerd een paar tikjes tegen haar microfoon gaf. Al gauw kreeg zij gezelschap van twee mannen die ze uitbundig zoende. Eline hield haar ogen strak op het podium gericht en zoog alles in zich op. Vivian V was gehuld

in strakke, zwarte kleding. Haar zwarte kuitbroek was afgezet met vuurrode biezen. Haar knopen waren rood, net als haar oorbellen en ringen. Voor deze gelegenheid had ze ook haar gigantische bos krullen rood geverfd. Sprakeloos keek Eline ernaar. Het zag er zo eenvoudig uit, dat zwart met rood, maar het had een enorm effect. Vivian V zag er prachtig uit.
Daar kwam nog iemand het podium op, een vrouw. Het leek wel of iedereen op haar gewacht had, want Marilyn pakte haar microfoon en stak van wal.
'Van harte welkom allemaal, onze toekomstige ontwerpsters in de zaal en onze juryleden op het podium. Misschien kennen jullie hun gezichten al, misschien ook niet. Daarom zal ik hen eerst even aan jullie voorstellen. Uiterst links aan de tafel zien jullie Jerry Glitz, ontwerper van de bekende Glitz-sieraden.'
Marilyn wachtte even tot het applaus verstomde.
'Hij ziet er echt te gek uit', zei Eline tegen Emma. 'Vind je hem niet knap?'
'Naast hem zien jullie Leo Leoni, ontwerper van de bekende tassen', ging Marilyn verder. 'Hij zit naast Vivian V, die de belangrijkste collecties voor *Y&B* ontwerpt.' Haar stem ging onder in het applaus.
Eline gleed stilletjes met haar ogen langs haar eigen kleding. Alles wat ze droeg was ontworpen door Vivian V. Ze had zich niet voor niets op het laatste moment nog omgekleed vanmorgen. Ze wist ook wel dat ze geen invloed had op de jury, maar toch...
'Tot slot...' Marilyn wachtte tot het wat rustiger werd. 'Tot slot stel ik aan jullie voor: Frou-Frou, ontwerpster van schoenen. Samen vormen zij de jury en hebben

zij jullie inzendingen beoordeeld. Dat zullen zij tot de finale blijven doen.' Terwijl Marilyn uitlegde wat er verder ging gebeuren, dwaalde Eline af naar Jerry Glitz. Hij leek wel een beetje stil en verlegen daar op dat podium met dat aanrollende applaus. Hij was ook nog niet zo oud, begin twintig. Ze had laatst een interview met hem gelezen in haar magazine. Daarin vertelde hij dat hij net van de Kunstacademie kwam. Al in het laatste jaar van die opleiding was hij heel succesvol met zijn ontwerpen. Dat was toch heel bijzonder, dacht Eline. Stel je toch eens voor dat je nog eindexamen moest doen, maar dat je sieraden al overal verkocht werden. Dat was toch iets waar de meeste ontwerpers alleen maar van konden dromen. Zijn kleren zagen er trouwens uit alsof ze te heet gewassen waren. Ze leken net iets te klein. Toch stond het hem... schattig, dacht ze. Het was misschien een raar woord voor mannenkleren, maar Jerry zag er echt vertederend uit. Zijn glanzend zwarte schoenen hadden enorm spitse tenen. De stoppeltjes van zijn baard gaven zijn gezicht donkere schaduwen en...
Ze kreeg een por van Emma.
'Spannend!' zei Emma.
Spannend? Een groot scherm lichtte op. Meteen verscheen het eerste T-shirt, waarop met kleine lapjes een landschap was gemaakt, met eronder een naam. Een meisje juichte. Was dit het winnende ontwerp of... hoe zat het? Ze had zo zitten dromen dat ze belangrijk nieuws had gemist. Vragend keek ze Emma aan. Maar Emma pakte Elines arm stevig vast. 'Nu

worden de honderd winnende ontwerpen vertoond', zei ze zacht. 'Als je shirt hierbij zit, mag je verder.'

Muisstil zat Eline op haar stoel. Ze drukte haar nagels in haar handpalmen. Ze ademde snel, toch had ze het idee dat ze geen lucht kreeg.
Emma zag het. 'Ben je zenuwachtig?' Toen sloeg ze haar hand voor haar mond. 'Oeps, domme vraag. Natuurlijk ben je zenuwachtig. Maar dat is niet nodig hoor, jij wint. Echt waar.'
Het meisje voor hen draaide haar hoofd om. 'Wint zij? Poeh, dat moet ik eerst nog eens zien.'
Eline voelde zich verschrompelen.
'Wat een raar type', fluisterde Emma. 'Trek je maar niets aan van wat zij zegt.'
Maar ook dat hoorde het meisje. Ze sprong op van haar stoel en draaide zich om. 'Dat heb ik heus wel gehoord, stelletje nullies. Ga toch gauw met de poppen spelen...' Met een plof liet ze zich weer op haar stoel zakken.
Elines hart bonsde. Ze probeerde de brok uit haar keel weg te slikken. Wat een rare actie. Maar misschien was dat meisje nog nerveuzer dan zij. Haley, heette ze. Ze droeg een gouden kettinkje om haar hals waar haar naam op stond. Eline had het gelezen. Het meisje zag er zo lief uit met haar hartvormige gezichtje en die krans van blonde haren eromheen. Als een elfje, dacht Eline. Tot ze haar mond opendeed...
Au! Ze voelde de nagels van Emma in haar arm. Meteen zag ze haar T-shirt met Mimauw op het grote scherm.

'Gefeliciteerd! Je bent door!' Emma lachte ietwat zenuwachtig, met een schuin oog op Haley gericht.
Eline dacht niet eens meer aan Haley.
Ze kreeg de neiging om te gaan springen en juichen, heel even maar... Toen nam een gelukzalig gevoel bezit van haar. Ontspannen keek ze naar alle shirts die het scherm passeerden. Er zaten leuke vondsten bij, dat zou nog een zware strijd worden.
Haley stond op. Vanuit de hoogte keek ze neer op Eline. 'Een shirt met een kat... wat kinderachtig, zeg!'
Weg was ze, nagestaard door een stomverbaasde Eline en Emma.
Honderd winnaressen bleven over. Iedereen kreeg een juryrapport. Nieuwsgierig begon Eline te lezen. De jury had voor haar ontwerp gekozen omdat zij met eenvoudige middelen een verhaal wist te vertellen, las ze. Het was een speels ontwerp waar beweging inzat. Dat vond ze een mooi compliment. Zou Jerry dat bedacht hebben? Ze keek om zich heen. Waar was hij eigenlijk? In de verte zag ze hem staan in het uiterste hoekje van het podium. Zijn ene hand drukte zijn gsm tegen zijn oor terwijl zijn andere hand druk gebaarde. Alsof je dat zien kon door de telefoon.
'Mag ik jullie aandacht?' vroeg Leo Leoni door de microfoon. Plotseling werd het stil. 'Hier komt jullie nieuwe opdracht: ontwerp een tas die voor meerdere doeleinden gebruikt kan worden. Denk eerst goed na voordat je aan dit ontwerp begint. Je mag het per e-mail of per post naar ons toesturen. Van ons krijgen jullie vandaag nog een mailtje met

alle details. Doe je best. Als je bij de vijfentwintig beste ontwerpers hoort, mag je door naar de volgende ronde en... krijg je een echte tas van Leo Leoni cadeau.'
Eline gaf Emma een por. 'Een echte tas van Leo Leoni! Wow! Dat vind ik nog eens megasuper. Help! Hoe maak ik kans?'
'Doe maar gewoon zoals je bent', zei Emma nuchter. 'Daarmee kom je het verst.'

4

Vanaf dat moment werd Elines leven beïnvloed door tassen. Waar ze ook kwam, ze keek eerst naar de tassen die er waren. En er waren er veel. Grote en kleine tassen, stoffen en leren tassen, schoudertassen, handtassen... Mevrouw Peeters kwam de klas binnen met een dikke, leren boekentas. Maar op de achterbank van haar auto ontdekte Eline, terwijl ze voorbij fietste, een vrolijk gebloemde luiertas voor haar baby. Twee verschillende tassen voor twee verschillende doeleinden. Logisch, vond Eline. Je stopte geen studieboeken of huiswerkschriften bij de babyspullen. En andersom deed je dat ook niet. Een tas, dacht Eline, een multifunctionele tas... Help! Ze kon niet eens meer logisch nadenken. Hoe krampachtig ze ook haar best deed, de ideeën bleven weg. Het leek wel of haar hersens verlamd waren. Dat kon toch niet goed zijn? Moest ze niet naar de dokter? Straks was ze te laat met inzenden en dan ging die Leo Leoni-tas aan haar neus voorbij. Verdorie... ze had zich er nog wel zo op verheugd.

'Wat zit jij te zuchten?' vroeg papa verbaasd. Hij was zondagmorgen teruggekomen uit Milaan. Mooi op tijd, want zondagavond trok Eline weer voor een weekje bij hem in. Sinds papa een huis had gekocht een paar straten van mama's huis verwijderd, had Eline daar ook haar eigen kamer gekregen. Voortaan woonde ze de ene week bij mama en de andere week bij papa. Daar was ze helemaal gelukkig mee. Ze had nog geprobeerd een nieuwe poster te vinden van *My special boy* zodat die op allebei haar kamers hing. Dat was niet gelukt. In plaats daarvan had ze een paar posters opgehangen die in het midden van haar *FGO* magazine zaten. Soms verwisselde ze de oude posters voor enkele nieuwe. Nu vond ze het juist leuk dat ze twee verschillende kamers had. Samen met papa had ze een ontwerp gemaakt en uitgewerkt. De hoofdkleuren op haar nieuwe kamer waren lavendelblauw en zandgeel. Het was zo fijn dat papa nu eindelijk dicht bij haar woonde. Met plezier pendelde ze heen en weer tussen de twee huizen. Haar vriendinnen waren er snel aan gewend dat ze op twee adressen woonde. Die paar straten maakten voor hen geen verschil.
'Is er iets?' vroeg papa nog eens.
Met een ruk schoof Eline haar stoel naar achteren. 'Nee hoor.' Ze was echt niet van plan om tegen papa te zeggen dat ze geen inspiratie had. En ze zweeg in alle talen over die felbegeerde Leo Leoni-tas. Als hij wist dat ze bang was dat ze die tas niet zou winnen, kocht hij morgen nog zo'n tas voor haar. Wat? Morgen pas? Nee hoor, vandaag nog! Nu meteen

zou hij naar de winkel stormen om zo'n exclusieve, peperdure tas voor haar te kopen. En dat wilde ze helemaal niet. Ze wilde die tas zelf verdienen. Maar ze geloofde steeds minder dat het haar zou lukken.
Iets harder dan bedoeld smeet ze de deur achter zich dicht. Met een schuldbewust gezicht zei ze sorry door een kiertje. Papa kon er ook niets aan doen dat ze geen goed idee had. Boven ging ze aan haar bureau zitten. Haar schetsboek, potlood en kladblok lagen binnen handbereik. Stel je voor dat ze zo maar opeens een briljant idee kreeg... Dan moest ze dat meteen kunnen vastleggen, natuurlijk. Ze was deze week zowat elke nacht wel een keer wakker geschrokken, maar nooit met het winnende ontwerp in haar hoofd. Meestal werd ze wakker met natte plakharen, een dichtgeknepen keel en een leeg hoofd zonder ideeën. Inspiratie: nul komma nul. De wedstrijd begon een beetje op een nachtmerrie te lijken.
Eline blies een haarlok weg die hinderlijk voor haar lippen hing. Ze keek naar haar kladblok. In gedachten had ze wat zitten krabbelen. Verbaasd keek ze ernaar. In kleine kriebelige letters had ze het blaadje volgeschreven: *tas tas tas tas tas tas tas tas tas.* Het was wel duidelijk wat haar bezighield: een tas. Toch lukte het haar niet een tas te bedenken. Driftig schoof ze het blok van zich af. Wat vervelend! Waarom wist ze nu niets meer te bedenken? Anders had ze altijd inspiratie. En nu? Irritatie, daar had ze last van.
Ze tekende al zolang kleding, maar nu ze met die wedstrijd meedeed, wist ze opeens niets meer te bedenken. Dit was echt rampzalig. O, daar kon ze zo

kwaad om worden. Die wedstrijd zat dag en nacht in haar hoofd. Daar zoemde en bonkte het zo hard dat ze de bel niet eens hoorde en ook de voetstappen op de trap niet. Pas bij het klopje op de deur keek ze op.
'Ja?'
Emma kwam binnen. 'Ik moest toch in de buurt zijn en dacht: ik loop even binnen om te vragen wat we voor aardrijkskunde aan huiswerk hebben.'
Met een verbeten gezicht keek Eline op van haar kladblok. 'Aardrijkskunde!' Ze riep het opnieuw, maar nu harder. 'Aardrijkskunde? Denk je dat ik weet wat wij voor aardrijkskunde moeten leren? Alsof mij dat nu interesseert! Ik heb wel wat anders aan mijn hoofd!' Wanhopig sloeg ze haar handen voor haar gezicht en slaakte een intens diepe zucht. Toen ze opkeek was Emma weg. Ze was geruisloos vertrokken zonder een woord te zeggen. Onrustig schoof Eline op haar stoel heen en weer. Langzaam kleurde haar gezicht rood van schaamte. Jee, wat was ze tekeergegaan. Alsof Emma het kon helpen dat ze geen inspiratie had. Uitgerekend Emma die altijd zo lief en zacht en behulpzaam was. O, wat erg... Hoe kon ze dit ooit nog goed maken? Eline draaide haar stoel een halve slag en staarde in het niets. Nog maar kortgeleden had ze beloofd gewoon zichzelf te blijven, al werd ze nog zo beroemd of succesvol. En nu maakte ze ruzie met haar beste vriendin terwijl ze nog niet eens beroemd of succesvol was. En ze zou het nooit worden ook, besloot ze. Ze stopte met dit zenuwslopende gedoe. Nu! Meteen! Het was toch zeker niet normaal dat je stijf stond van de spanning

om zo'n stom tasje? En het kon ook niet gezond zijn. Straks werd ze nog ziek en met een beetje pech kwam er niemand op ziekenbezoek omdat zij met al haar vriendinnen ruzie had gemaakt.
Zou Emma erg geschrokken zijn? Ja, dat was nogal logisch. Het ene moment kwam ze vrolijk binnen huppelen en het volgende moment begon er iemand tegen haar te schreeuwen. Om niets nog wel. Oooo, kon ze dit ooit nog goed maken? Natuurlijk wel.
Ja toch? Er drukte een steen op haar maag en dat kwam niet omdat ze geen inspiratie had. Ze maakte zich meer druk om Emma dan om de wedstrijd. Het was tijd voor actie. Ze draaide haar stoel terug en zette haar laptop aan. Ze ging zich nu afmelden voor de wedstrijd. Als ze nu al ruzie maakte met haar vriendinnen kon ze maar beter afhaken. Nog voor ze naar de website van de wedstrijd ging, zag ze dat ze mail had. Van Yelien. Ze klikte het bericht aan en begon te lezen.

Van: yelien.keepcool@fgo.fun
Aan: eline.topontwerpster@fgo.fun
Onderwerp: SOS vriendin in nood

Eline keek naar haar nieuwe e-mailadres. Nog maar zo kortgeleden had ze vol trots een nieuw adres aangemaakt: eline.topontwerpster. Dat zag er opeens toch wel erg opschepperig uit. Topontwerpster! Omdat ze een T-shirt had ontworpen? Met één T-shirt was je echt nog geen ontwerpster, laat staan aan de top. Ze was weer eens te hard van stapel gelopen, bedacht ze. En opnieuw kleurden haar wangen rood. Ze wreef erover alsof ze de kleur kon wegvegen. Intussen las ze de mail van Yelien.

Haai Lientjepientje,

Hoe gaat het met je? Kun je het allemaal nog volhouden?
Ik zal het maar eerlijk zeggen: Emma kwam net hier. Ik zag meteen dat ze van slag was. Eerst wilde ze niet vertellen wat er was gebeurd, ik moest echt aandringen voor het verhaal eruit kwam. Emma was behoorlijk geschrokken van jouw uitval. Dat is ze niet gewend van je. Nu maakt ze zich zorgen, ze is bang dat de spanning je te veel wordt.
Ik ben blij dat Emma toch vertelde hoe het zat. Het is echt tijd om samen iets gezelligs te doen. Het Strandbad is open. Ja, ik weet ook wel dat het te fris is om te zwemmen. Brrr, ik mag er niet aan denken dat ik in dat koude water zou moeten. Maar we kunnen wel met zijn allen langs de waterkant in de zon zitten. In zonnestralen zitten vitamientjes waar je vrolijk van wordt. En je krijgt ook nog eens een mooi, bruin kleurtje van de zon.
Dus, lieve Lientjepientje, kom je? Dan gaan we met zijn vijven naar het strandbad lekker een middag chillen.

Luf u, see u soon,

Yelien

Eline wreef in haar ogen. Nee, ze ging niet huilen. Maar het scheelde niet veel... Wat een lief mailtje van Yelien. Zij was pas echt een hartsvriendin. En

Emma dan... Emma had ook wel boos kunnen zijn. Ze was het niet, ze maakte zich zelfs zorgen. Wat een schatten... Dat waren nog eens vriendinnen.
Eline klikte op 'Antwoord'. Snel begon ze te typen: 'Ik kom eraan.' Ze verstuurde haar bericht. Toen gooide ze een plens water in haar gezicht en vertrok naar Yelien.
Iedereen was er al. Ellen, Emma en Kato zaten buiten met Yelien aan de ronde tuintafel. Toen Eline eraan kwam, stonden ze op en sloegen hun armen om haar heen. In een kringetje bleven ze staan, zwijgend en dicht bij elkaar. Eline liet haar hand van een arm glijden en zocht houvast bij Emma's hand. Met haar andere hand pakte ze die van Yelien vast. Zomaar opeens liepen de tranen langs haar wangen.
'Gaat het?' vroeg Ellen bezorgd.
'Eerst nog wel, maar nu niet meer', snikte Eline. 'Ik kan echt helemaal niets meer.'
'Jij kunt meer dan je denkt', zei Yelien rustig.
Eline boende haar natte wangen. 'Maar van tassen weet ik in ieder geval niets. Helemaal niets. En die andere meisjes zijn allemaal zo goed!'
'Logisch', zei Yelien. 'Van die zoveel duizend meisjes bleven de honderd beste over en daar hoor jij ook bij.'
Eline keek op. Zo had ze het eigenlijk nooit gezien. Waarom dacht ze steeds dat ze niets kon? Yelien had gelijk. Als je bij de honderd beste hoorde, was je zo slecht nog niet. Dan kon je heus wel iets. Ze keek op en zocht hulp bij haar vriendinnen. 'Maar waarom lukt het me dan niet om een tas te ontwerpen?'
'Niets gaat vanzelf', zei Ellen nadenkend.

Daar kreeg Eline het nog benauwder van. 'Help!'
Kato was het wel met Ellen eens. 'Zelfs de beste tennisster verliest weleens een wedstrijd.'
'Zeg je dat om me op te vrolijken?' zuchtte Eline.
'Je moet gewoon doorgaan,' zei Kato, 'dan komt het allemaal weer goed.'
'Vast wel', knikte Ellen. 'Zullen we nu gaan?'

Niet veel later vonden ze een plekje aan de waterkant van het Strandbad. Ellen en Emma spreidden twee badlakens uit om op te zitten. Yelien deelde plastic bekertjes uit en schonk limonade in. Kato had, zoals bijna altijd, aan iets lekkers gedacht. 'Tataa!' Met een triomfantelijk gezicht haalde ze een papieren zak tevoorschijn.
'Wat heb je nu weer?' vroeg Yelien.
Terwijl iedereen nieuwsgierig toekeek, vouwde Kato met veel geritsel de zak open, puntje voor puntje. Opnieuw klonk haar kreet. 'Tataa!'
'Slagroomsoesjes! Jammie!' riepen ze allemaal tegelijk.
Met een uitbundige zwaai presenteerde Kato de soesjes. Een wolk van poedersuiker stoof in het rond. Iedereen dook weg om aan de witte wolk te ontsnappen. Dwars over elkaar lagen ze op het badlaken en keken omhoog naar het beteuterde gezicht van Kato.
'Het vlekt niet, hoor', zei Kato. Ze wreef met een hand langs haar wang. Een witte veeg van poedersuiker bleef achter. Eline wees ernaar. Kato greep naar haar gezicht. De veeg werd groter en groter. Ook het puntje van haar neus werd nu wit.

'Kato...' lachte Ellen.
Kato streek een pluk haar achter haar oor. Een witte poedersuiker pluk achter een witte oorlel.
'Kato... Hihihi....' giechelde Emma.
Het leek of dat het startschot voor de slappe lach was. Snikkend rolden ze over het badlaken.
Kato boog zich over hen heen. Opnieuw daalde een wolk poedersuiker neer.
Ze smeekten om genade. 'Help! Nee, Kato! Niet doen!'
'Poedersuiker vlekt niet, hoor', zei Kato kalm.
'O nee?' hikte Ellen. 'Jij ziet er anders uit als Iwan, de verschrikkelijke sneeuwman.'
Opnieuw werd er gehikt en gesnikt.
'Mij best, hoor,' zei Kato, 'dan eet ik ze zelf wel op.' Ze zette haar tanden in de zachte roomsoes.
'Wacht! Ik lust er ook een', riep Emma.
'En anders ik wel', knikte Ellen.
Een poosje was het stil. Soms klonk er een zacht smakje of likte iemand haar lippen af. Toen waren de soezen op.
'Je wilt me toch niet vertellen dat je deze verrukkelijke droomsoezen zelf gemaakt hebt?' vroeg Yelien.
'Jawel', zei Kato. 'Dat is helemaal niet moeilijk. Als je wilt, schrijf ik het recept wel in ons dagboek. We kunnen het ook samen een keer maken, op het volgende slaapfeest.'
'Dat vind ik twee goede ideeën, doe ze allebei maar', zei Eline. Ze stond op en klopte de poedersuiker van haar kleren. 'Je hebt gelijk, Kaatje, poedersuiker vlekt niet.'
De anderen stonden nu ook driftig hun kleren af te kloppen.

'Kom eens hier', zei Eline tegen Kato. Zorgvuldig veegde ze de restjes suiker van het gezicht, de haren en de oren van haar vriendin. Ellen en Yelien klopten het badlaken uit. Even later zaten ze knus bij elkaar en staarden dromerig over het water. Een blauwgroene libel hing even roerloos boven het water. 'Kijk eens wat mooi', fluisterde Eline. 'Prachtig, met die grote, glazen vleugels. En nog wel in mijn lievelingskleuren.' Toen vloog het dier verder.
Eline keek over haar schouder. Een vrouw op een fiets reed tussen de bomen door. Bij het mulle zand liepen haar wielen vast en moest ze afstappen. Langzaam kwam ze dichterbij. Haar mond bewoog, zag Eline. De vrouw praatte zachtjes terwijl ze heel alleen was. Eline bleef kijken tot de vrouw voorbij was. Toen pas zag ze tegen wie de vrouw praatte. Achterop haar fiets stond een stoffen mandje met een hondje erin. Het was maar een klein hondje met een roze strikje in het haar. Tevreden zat het hondje achterop. Eline keek hen na tot ze in de verte tussen de bomen verdwenen. Zelfs toen ze weg waren, staarde ze nog naar de plek tussen de bomen. En van daar keek ze naar hun strandlaken. Ze sprong op. 'Ik heb een idee!' Ze klopte op haar zakken en keek vragend naar haar vriendinnen. 'Heeft er iemand pen en papier bij zich?' Kato wees naar de platgevouwen zak van de slagroomsoezen. Yelien vond een afgeknabbeld stompje potlood in de plastic zak van het badlaken. Het was niet veel, maar genoeg om een eerste ontwerp neer te zetten. Eline tekende een smalle, hoge driehoek. 'Kijk, dit is de achterkant. Of de

voorkant, dat ligt er maar aan van welke kant je kijkt. Deze kant is van stof, geen gewone stof maar stof met gaatjes, een soort gaas. De brede zijkanten zijn van gewone stof met een laagje schuimrubber erachter. En wat heb ik nu getekend?' Ze keek op en zag alleen maar vragende gezichten. 'Een multifunctionele tas', antwoordde ze zelf. 'Ik zal het uitleggen. De zijkanten van gaas zitten vast met een rits, zodat je ze los kunt maken. Dan kun je de rest van de tas helemaal uitvouwen tot een kleed om op te zitten. Het is lekker zacht vanwege het schuimrubber. Je kunt na het zwemmen lekker zonnebaden op de uitgeklapte tas. En als je naar huis wilt, stop je je natte badlaken erin, dat is lekker luchtig met die zijkanten van gaas. Dan ruikt het niet zo muf. Maar...' Ze keek haar vriendinnen een voor een aan. 'Als ik clipjes aan de bodem van de tas maak, kan ik die vastzetten achterop mijn fiets. Dan kan ik bijvoorbeeld Twinky meenemen naar het bos of zo, als Yelien dat goedvindt. Als we er zijn, mag Twinky eruit en heb ik een lekker zacht kussen om op te zitten. Vinden jullie dat geen goed idee?'
Ze waren er stil van.
'Ik moet het natuurlijk wel eerst allemaal uitwerken', zei Eline. Ze sprong op. 'Is het nog geen tijd om te gaan?' Ze keek op haar pols en zag dat ze geen horloge om had. De zon stond opeens zo laag boven het water. Dat betekende toch dat het al laat was?
'Je hebt gelijk', zei Ellen. 'Zullen we gaan?'
Thuis nam Eline nauwelijks tijd om te eten. Papa zei er niets van, hij deed nooit erg moeilijk over het eten.

Op haar kamer sloeg ze meteen aan het tekenen. Ze maakte nog extra vakken aan de binnenkant voor een portemonnee, een gsm en een sleutelbos. Tot slot bedacht ze een vrolijk stofje voor haar tas. Het werd een zomerstof met lieveheersbeestjes, vlinders en zonnebloemen. Tevreden keek ze naar de volgetekende bladzijdes. Wat zou papa hiervan vinden? Ze ging het meteen vragen. Met ingehouden adem wachtte ze tot papa alle schetsen in haar tekenboek bekeken had. 'En? Wat vind je ervan?' vroeg ze meteen toen hij het laatste blad omsloeg. Papa nam de tijd. Met zijn hoofd schuin bekeek hij opnieuw alle tekeningen. Eline leunde van haar ene been op het andere. Dat duurde en duurde maar...
'Ik zou die handgreep iets steviger maken', zei papa na een eeuwigheid. 'Maar verder vind ik het een erg praktische en mooie multitas.'
'Een multitas!' riep Eline. 'Nu heb ik meteen een naam voor mijn tas. Bedankt!' Ze gaf papa een zoen die ergens in de richting van zijn oor belandde en sprong zowat dansend de trap weer op. Oef! Ze had het toch voor elkaar gekregen en dat was een pak van haar hart. Ze liet zich languit op haar bed vallen en sloot haar ogen. Het gaf een goed gevoel als iets lukte. Ze dacht aan de woorden van Yelien: Je moet er gewoon weer voor gaan, elke dag opnieuw. Op een dag lukt het weer.
En het was haar gelukt.

Eline had haar multitas op allerlei manieren getekend: van de voorkant, van de zijkant, opengeklapt en dichtgevouwen. Ze had zelfs een vrolijk gekleurde tekening gemaakt van het stofje dat zij voor de tas in gedachten had. Van al die tekeningen, in kleur en met haar naam erop, had zij een map gemaakt voor de jury. Zelf had ze een goed gevoel over haar ontwerp, maar voor alle zekerheid liet ze de map toch nog even aan papa zien.
Papa knikte instemmend. 'Dat ziet er goed uit, Lienemieneke, hier moet je niets meer aan doen.'
'Alleen nog even posten', grapte Eline. 'Ik moet natuurlijk wel de aandacht van de jury trekken.'
Onderweg naar het postkantoor dwaalden haar gedachten naar de jury. Naar Jerry Glitz om precies te zijn. Ze kreeg een vreemd gevoel in haar maag, telkens als ze aan hem dacht. En dat was zo stilletjes toch wel heel wat keren het geval. Ze hoefde haar ogen maar te sluiten of ze zag zijn gezicht al voor zich. Hij had van die mooie, grote Bambi-ogen, donker maar toch zacht. Ogen met een wat vochtige

glans erover. Ze kon erin verdrinken als ze ernaar keek. Het liefst zou ze met een vinger langs zijn korte baardstoppeltjes willen gaan. Of met haar hand over zijn hoofd strijken, waar ook van die korte stoppeltjes groeiden. Hij was de meest bijzondere jongen die ze ooit had ontmoet.
Jongen? Eigenlijk was hij al een man.
'Hij is veel te oud voor jou', zei een stemmetje in haar hoofd.
Hoezo te oud? Hij was misschien maar zeven jaar ouder dan zijzelf. Vooruit dan, acht jaar... hoogstens tien misschien.
'Hij is minstens tien jaar ouder', zei het stemmetje eigenwijs.
Hou je mond, dacht Eline. Ze schudde haar hoofd heen en weer. Zeven jaar? Tien jaar? Wat deed dat ertoe? Ja, nu leek dat leeftijdsverschil wel groot. Maar straks, als zij wat ouder was, dan deed dat er niet meer toe. Als ze allebei volwassen waren, was leeftijd niet zo belangrijk meer. Dan telden andere dingen. Dat Jerry zo bijzonder was, bijvoorbeeld. Zo knap, zo lief, zo creatief... en toch ook een beetje verlegen. Eigenlijk leek hij van alle jongens die ze kende nog het meest op *My special boy*. Met het grote verschil dat hij geen poster was, maar echt. Levensecht!
Ze schrok op uit haar gedachten en keek om zich heen. Was er iets? Ze stond in de rij voor het loket van het postkantoor en keek om zich heen. Iedereen keek naar haar. Waarom? Was er iets niet goed?
'Jongedame', klonk de wat vale stem van de grijze man achter het loket.

'Ik?' Verbaasd wees Eline op zichzelf.
'Ja, jij', knikte de man. 'Of wil je hier wortel schieten? Als je maar weet dat wij om zes uur sluiten.'
Eline voelde een hand in haar rug die haar met zachte drang richting loket duwde. 'Jij bent aan de beurt', zei een vrouwenstem in haar nek.
Oeps! Ze had staan dromen. Als een speer schoot ze vooruit, gaf haar envelop aan de grijze man en pakte haar geld. Even later liep ze weer buiten, knipperend met haar ogen tegen het zonlicht. Over twee weken zou ze de uitslag horen, maar ze had er een goed gevoel over. Hopelijk bleef dat zo. Ze keek nu al uit naar de finale. Dan waren de meeste meisjes naar huis gestuurd en bleven ze met tienen over. Maar dan moest ze natuurlijk zelf wel bij de finalisten horen. En zover was het nog niet.
Thuis schikte ze de kussens op papa's nieuwe designbank en kroop weg met een stapel modebladen. Ze kon maar beter zorgen dat ze goed was voorbereid. Als toekomstig ontwerpster moest ze natuurlijk weten wat in de mode was. Daarom verzamelde ze modefoto's en kleine stukjes stof in alle soorten en kleuren. Monsters, worden die kleine lapjes genoemd. Dat is toch wel een gruwelijke naam voor zulke lieve, kleine stofjes. Ze verzamelde ook foto's van schoenen, riemen, sjaals, tassen en sieraden. Daar maakte ze dan weer collages van. Ze legde wat foto's bij elkaar met kleding die haar aansprak. Daar zocht ze passende lapjes bij. Dat plakte ze op een stevig vel papier. Eromheen schikte ze schoenen, riemen, horloges... alles wat bij dat ene

modebeeld paste, zette ze bij elkaar. Soms werd zo'n collage zo mooi dat er wel een lijst om mocht. Als ze zelf nieuwe ontwerpen ging tekenen, was zo'n fotocollage een bron van inspiratie waar ze vaak naar keek.

Op de dag van de jury-uitslag sloegen de zenuwen toch weer toe. Het was nog donker toen Eline wakker werd en veel te vroeg om op te staan. Toch kon ze niet meer slapen. Met wijdopen ogen lag ze in het donker te staren. En ze dacht: als ik vanavond in mijn bed stap, zal ik dan vrolijk of verdrietig zijn? Heb ik dan misschien een echte Leo Leoni-tas gewonnen? Of kan ik maar beter iets anders worden dan modeontwerpster? Maar wat ze ook bedacht, het antwoord wist ze pas als de jury uitspraak had gedaan. En dat duurde nog uren. Lange uren, want de klok tikte vreselijk langzaam. Intussen rolde ze van de ene gedachte in de andere. Misschien hoorde Haley vandaag wel bij de groep die naar huis gestuurd werd. Ze hoopte het van harte, ook al wist ze dat het niet sportief was om zoiets te denken. Maar dat was wel de schuld van Haley. Zij was kattig gaan doen toen ze hoorde wat Eline tijdens de eerste ronde zei. Belachelijk. Of... Van schrik veerde Eline rechtop. Misschien was Haley zelf wel verliefd op Jerry en had ze daarom vervelend gereageerd. Dat kon natuurlijk ook nog. Help! Dat was een extra reden om te hopen dat Haley afgewezen werd.
Buiten begon de eerste merel te fluiten, in huis bleef alles stil. Papa sliep natuurlijk nog. Hij hoefde er

niet vroeg uit op zaterdag. Zij ook niet, maar ze hield het niet langer vol in bed. Op haar tenen sloop ze naar de badkamer. Haar kastje lag vol proefflesjes en tubetjes die mama van haar werk meebracht. Het cosmeticabedrijf strooide altijd royaal met spulletjes. Maar deze keer was er iets bijzonders. Omdat ze al zo lang lag te denken was het haar te binnen geschoten. Het bedrijf had een nieuwe serie producten op de markt gebracht. Mama was er zo enthousiast over geweest dat ze er alsmaar over vertelde. De nieuwe producten waren gebaseerd op een oude Chinese gedachte: op Yin en Yang. Yin was donker, Yang was licht. Yin stond voor de maan, Yang voor de zon. Yin was koud, donker en winter. Yang was warm, licht en zomer. En zo waren er nog veel meer tegenstellingen te noemen. En toch ging het bij Yin en Yang niet om tegenstellingen, had mama uitgelegd. Het ging om evenwicht, om balans. Yin en Yang hoorden bij elkaar als de dag en de nacht, de zon en de maan, het vuur en het water. Het meest belangrijke was dat je van allebei genoeg had, niet te veel en niet te weinig. Had je te veel Yang, dan werd je druk of zelfs hyperactief. Had je te weinig Yin, dan kon je last krijgen van je zenuwen. En dat laatste was nu precies wat Eline niet wilde. Straks kwam Yelien om met haar mee te gaan naar de Evenementenhal, want ze hadden weer geloot. Ze mocht er niet aan denken dat ze ruzie ging maken met Yelien omdat ze haar zenuwen niet onder controle had. En dat was nog niet alles. Als je Yin en Yang niet in evenwicht waren, kon je zelfs ziek worden. Je kon hoofdpijn krijgen, of last hebben

van moeheid of allergie. Dat had ze zelf gelezen in de folder die mama haar liet zien. Geen van die kwaaltjes kon ze gebruiken. Ze moest straks kalm en relaxed naar de jury kunnen luisteren. En geen ruzie maken met Yelien.
Ze draaide de badkraan open en zocht verder in het kastje. Ah, hier was het. Badschuim van witte Lotusbloem. Dat werkte kalmerend, stond er op de verpakking. Ze schudde het kleine monsterflesje helemaal leeg boven het bad. Monsterflesje, dacht ze. Zo'n klein flesje met witte lotusbloem was toch geen monster? Ze doorzocht het kastje. Het lag vol, zoals altijd. Ze bofte maar met al die spulletjes. Ook al liep ze vaak te mopperen op mama, ze moest toegeven dat haar moeder haar altijd verwende met nieuwe middeltjes van haar werk. Kijk, ze vond zomaar opeens een kalmerend masker. En rustgevende compressen voor de ogen. En een verzorgende huidcrème. Ze smeerde het masker op haar gezicht, pakte de compressen en stapte in het warme bad. Daar legde ze de compressen op haar ogen. Wow, ze werd er meteen rustig van. Wat een zalig gevoel. Ze deinde loom met het water mee en dacht: nu moet ik oppassen dat ik niet te veel neem, anders ben ik niet meer wakker als de uitslag bekend wordt gemaakt. Ze soesde een tijdje tot het water te veel afkoelde. Resoluut trok ze de stop uit het bad en nam een verfrissende regendouche. Zo, nu kon ze er weer tegen. Haar Yin en Yang waren perfect geregeld, met haar kon er niets meer misgaan.
Ze kleedde zich aan. Natuurlijk had ze al minstens

een week nagedacht over wat ze aan moest. Haar outfit voor vandaag was zwart met roomkleurig. Dat wist ze zeker en dat ging ze ook niet meer veranderen. Ze masseerde een beetje witte lotuscrème op haar gezicht, borstelde haar haren en zette haar wimpers zwart aan. Tot slot liet ze haar lippen glanzen met wat roze lipgloss. Zo, ze mocht er zijn.

Een blik op de klok vertelde haar dat het pas negen uur was. En nog steeds was het stil in huis. De tijd schoot niet op.

Maar ze had een idee. Stilletjes glipte ze de voordeur uit op weg naar de bakker. Met verse croissants kon ze papa altijd wakker maken, het liefst met een espresso erbij.

Papa deed zijn best om blij en verrast te kijken bij zo'n ontbijt op bed. Maar zijn ogen keken zo moe en riepen: Wij willen uitslapen!

Gelukkig kwam Yelien vroeg, veel te vroeg voor de trein. Ze moesten weer naar de Evenementenhal, maar deze keer naar een kleinere zaal.

'Ben je zenuwachtig?' vroeg Yelien. Ze liep achter Eline aan naar de grote keuken.

Eline schudde haar hoofd. 'Ik ben helemaal Yin Yang.'

Yelien fronste haar wenkbrauwen. 'Yin wat?'

'In evenwicht', legde Eline uit. 'En ontspannen.'

Terwijl ze aan de keukentafel ging zitten vertelde ze over het badschuim en over de Chinese gedachte.

'Evenwicht,' knikte Yelien, 'daar zit wel wat in.'

Elines vader kwam de keuken in voor nog een kopje espresso. Zijn haren waren nat van de douche en hij

worstelde met de knoopjes van zijn manchetten. In het voorbijgaan stak hij zijn hand op naar Yelien.
'Ik ben iets te vroeg', zei Yelien.
'Dat is niet verkeerd', zei Elines vader. 'Zullen we met zijn drieën naar de stad gaan? Dan kunnen we eerst samen lunchen voor jullie verder moeten.'
Dat vond Eline een goed idee. Want ondanks alle ontspannende middeltjes begon ze toch weer zenuwachtig te worden.

De kleine zaal van de Evenementenhal was veel knusser dan de immense ruimte van vorige keer. Marilyn zag er beeldig uit toen ze om een applaus voor de jury vroeg.
'Vind je hem niet knap?' vroeg Eline toen Jerry het podium opkwam.
Yelien knikte. 'Hij ziet er ook zo hip uit.'
'Hebben jullie zin om honderd juryrapporten aan te horen?' vroeg Marilyn.
'Yeah!' joelde de zaal enthousiast.
Verbaasd keek Marilyn van de zaal naar de jury. 'Wij dachten toch echt dat honderd wel erg veel was. Daarom noemen we nu de namen van de vijfentwintig winnaars. Als je je naam hoort, kom je naar het podium. Op het grote beeldscherm is je ontwerp te zien en een van de juryleden leest het rapport voor.'
Er klonk een achtergrondmuziekje. De eerste tas verscheen op het beeldscherm. Een mooie tas, vond Eline, maar het was niet haar ontwerp.
'Dit ontwerp is van Haley', kondigde Leo Leoni aan.

'De jury heeft deze tas gekozen omdat...'
De rest hoorde Eline niet meer. Ze keek Haley na die als kwikzilver de trap naar het podium opsprong. Wat jammer, Haley was door naar de volgende ronde. Leo Leoni ging verder. Toen er zes meisjes op het podium stonden, gaf hij de microfoon aan Jerry. Eline luisterde nog aandachtiger. 'Dit ontwerp is gemaakt door Liselotte.'
Eline keek van Liselotte naar het beeldscherm. Daar zag ze een boodschappentas waarin een handtas paste. In de handtas paste een make-uptasje en daarin zat weer een hoesje voor je telefoon. Liselotte was door.
En zij ook. Jippie! Jerry zei haar naam. 'Dit ontwerp van Eline draagt met recht de naam multitas', begon hij. Op het podium stond ze vlak bij hem, terwijl hij vertelde wat er allemaal mogelijk was met haar ontwerp. Ze kreeg kippenvel op haar armen, want van dichtbij was hij nog knapper. Toen ze eindelijk haar ogen van hem los kon maken en de zaal inkeek, zag ze papa. Hij stond helemaal achterin in het schemerdonker en klapte voor haar. Ze was door naar de volgende ronde! Iets mooiers kon ze zich niet wensen. Of toch wel... Ze was door én ze kreeg zo'n prachtige Leo Leoni-tas. Een zelfverdiende tas. Wow!

6

Die avond kwamen haar vriendinnen haar feliciteren en haar nieuwe tas bewonderen.
'Waar is Kato?' vroeg Eline.
Yelien keek verbaasd. 'Is ze niet hier? We zijn bij haar langs geweest, maar haar broertje zei dat ze al naar jou was.'
'Hier is niemand', zei Eline. 'Alleen ik.'
'Is je vader niet thuis?' vroeg Ellen.
Eline schudde haar hoofd. 'Hij is gaan hardlopen.'
'Dat is sportief', zei Ellen.
'Hij heeft een programma gedownload op zijn iPod met een looptraining erop', zei Eline. 'Met leuke muziek erbij. Misschien ga ik wel met hem trainen. Is dat niets voor jullie?'
'Kato loopt toch ook?' vroeg Emma.
'Ja,' zei Eline, 'maar nu toch niet? Waar zou ze zijn?'
De bel schalde luid en duidelijk door de tuin. Eline liep naar de voordeur.
De lucht was lauw en de blaadjes hingen windstil aan de bomen. Met een rood hoofd verscheen Kato in de tuin.

'Waar zat je toch?' vroeg Yelien.
'Bij het verkeerde huis', pufte Kato. 'Ik was bij het huis van Elines moeder.'
'Dat moet jou natuurlijk weer gebeuren', lachte Eline. 'Willen jullie ijsthee?' Ze haalde glazen vol ijsklontjes die vrolijk tinkelden toen ze de ijsthee inschonk. De glazen stonden in een kringetje op tafel en in het midden pronkte de nieuwe tas.
'Wat een mooie tas', verzuchtte Emma.
Kato knikte. 'Die krijg ik in de rest van mijn leven nog niet bij elkaar gespaard. Jij boft maar!'
'Natuurlijk boft ze met zo'n tas', reageerde Yelien. 'Maar die heeft ze toevallig wel zelf verdiend.'
'Dat vind ik eigenlijk nog het leukst van al', zei Eline. 'Ik ben hartstikke blij dat ik door mag naar de volgende ronde, maar dat ik zelf zo'n speciale tas verdiend heb... dat betekent pas echt iets voor me.' Ze keek haar vriendinnen aan. 'Begrijpen jullie dat?'
'Natuurlijk', zei Kato. 'Als jij graag iets wilt hebben, koopt je vader het meteen voor je. Maar iets wat je zelf verdient, betekent meer.'
'Precies', knikte Eline.
Met dromerige ogen staarde Emma voor zich uit. 'Mmmm... toch lijkt het me zalig om een vader te hebben die alles koopt wat ik graag hebben wil.'
'Dat weet ik wel zeker', viel Ellen haar bij. 'Stel je toch eens voor...'
'Gisteren zag ik in de etalage van de juwelier een ketting', begon Yelien. 'Die vond ik zo mooi... De gouden sluiting was in de vorm van een hart. Er hingen dunne kettinkjes aan met zacht glanzende

parels en gouden bolletjes, echt heel bijzonder. Ik wees ernaar en mijn ouders keken. Mijn moeder knikte dat ze het ook mooi vond, maar mijn vader zei echt niet dat hij die ketting voor me zou kopen.'

'Ben je daar verdrietig om?' vroeg Eline.

Vol overtuiging schudde Yelien haar hoofd heen en weer. 'Nee, natuurlijk niet. Ik kan toch niet alles kopen wat ik zie? Of wat ik mooi vind?'

'Precies!' zei Eline. 'Ik snap best dat jullie wel eens jaloers op me zijn omdat ik bijna alles kan krijgen wat ik vraag. Maar het is zoals Yelien zegt. En het is echt niet zo dat je gelukkiger wordt als je alles kunt kopen. Toen papa nog ver weg woonde en vaak op reis was, kocht hij heel veel cadeautjes voor me. Veel meer dan nu hij hier woont, maar ik ben nu veel gelukkiger dan toen.' Ze keek haar vriendinnen aan en zag aan de gezichten dat ze haar begrepen.

'Maar af en toe verwend worden is best leuk', droomde Emma nog even verder. 'Maar misschien verdien je wel meer mooie prijzen. Hoe gaat het nu verder met de wedstrijd?'

'Nog maar één opdracht', zei Eline. 'Als ik die haal, zit ik bij de laatste tien, dan mag ik naar De Rozenkrans voor de titel.'

'Voor ons ben je nu al een topper', zei Yelien. 'Kijk maar.' Ze haalde een envelop tevoorschijn en gaf die aan Eline. Met haar lange nagels peuterde Eline de dichtgeplakte envelop open. Er zat een kaart in. Op de voorkant stonden wel honderd witte lammetjes getekend. Alleen het lammetje in het midden was geel.

Jij bent bijzonder,

stond er in vrolijk rode letters onder. Aan de binnenkant hadden de vriendinnen zelf wat geschreven.

Lieve Eline, voor ons ben jij nu al een topper.
Veel liefs en heel veel succes,
Yelien, Ellen, Emma en Kato

'Dank je wel.' Eline bloosde. 'Wat lief van jullie.'
'Van de meer dan duizend meisjes zijn er maar vijfentwintig over', zei Kato. 'En daar hoor jij bij.'
'Stop maar, anders gaat ze zich nog aanstellen', plaagde Ellen. 'Dan krijgt ze sterallures.'
'Dat hoop ik toch niet', schrok Eline.
'Ik maakte maar een grapje', suste Ellen. 'Maar ik kan nog steeds niet geloven dat je zo ver gekomen bent.'
'Ik kan het zelf nauwelijks geloven', straalde Eline.
'Wat is je volgende opdracht?' vroeg Kato.
Eline stak de citroenkaarsjes op de tuintafel aan. Nu de schemering viel, kwamen de muggen om hen heen zoemen. En muggen hielden niet van citroenkaarsjes, had ze ergens gelezen. Ze ging weer zitten. 'De volgende opdracht is van Jerry. We moeten een setje sieraden ontwerpen dat bij het seizoen past. Ik vind het doodeng, juist omdat ik Jerry zo tof vind. Daarom wil ik eigenlijk nog beter mijn best doen dan anders. Maar het lijkt wel of ik niets origineels kan verzinnen.'
'Jeetje, jij bent anders zo creatief', verzuchtte Kato.

'Kun je echt niets bedenken?'
'Ik dacht aan iets van raffia en schelpen', zei Eline.
'Maar misschien is dat juist veel te simpel. Wat Jerry ontwerpt is veel specialer. Help! Ik weet het echt niet.'
Emma slaakte een diepe zucht. 'Het komt wel goed. Jij bent immers een ster in het ontwerpen.'
'Een ontwerp-ster', grapte Kato. 'Straks word je nog beroemd.'
'Dan hoop ik dat je ons wel kaartjes stuurt als je een grote modeshow hebt', zei Yelien.
Emma nam een slokje ijsthee. 'Ik heb eens gelezen dat er op de grote modeshows in Parijs stoelen met gouden pootjes staan. Is dat niet deftig?'
Kato veerde op. 'Echt waar? Ik zie ons daar al zitten op de eerste rij tussen de filmsterren en andere celebrity's. Dan neem ik, denk ik, een boekje mee om handtekeningen te verzamelen.'
'Nee', schrok Yelien. 'Dat kun je niet doen.'
Vragend keek Kato om zich heen. 'Waarom niet?'
'Als je op de stoelen met de gouden pootjes mag zitten, ben je zelf ook een beetje beroemd. Beroemde mensen vragen nooit handtekeningen aan elkaar', legde Yelien uit.
'Is dat zo?' aarzelde Kato.
Emma, Ellen en Eline knikten nu ook vastbesloten. Dat was echt zo.
'Jammer', zuchtte Kato.
'Je mag naast al die beroemdheden zitten', troostte Ellen haar. 'En je kunt een praatje met ze maken', vulde Yelien aan.
'En je kunt de nieuwste ontwerpen bewonderen

van Eline', zei Emma. 'Eerst de gewone collectie, die natuurlijk toch heel bijzonder is. Tot slot de bruidsjurk, gevolgd door de ontwerpster zelf. En als allerlaatste: de ladyspeaker die vraagt om een daverend applaus voor *mademoiselle* Eline.'
Kato was alweer helemaal in de stemming. 'En dan is er champagne om de nieuwe collectie te vieren. Zie je ons al staan tussen al die beroemdheden?'
'Zou je dan mijn trouwjurk willen ontwerpen?' vroeg Emma.
'Ho, stop!' schrok Eline. 'Ik moet natuurlijk eerst de volgende ronde halen, anders kom ik nooit in Parijs.'
Ellen deed of ze doof was. 'Als je beroemd bent, gebruik je dan je eigen naam of neem je dan een artiestennaam?'
'*Miss* Eline', zei Yelien hardop. Ze zei het nog een keer, alsof ze de woorden proefde. 'Mmm, Miss Eline dat heeft toch net iets meer.'
'Of Miss E', bedacht Kato. 'Maar dan wel de E in het Engels uitgesproken, dan klinkt het meteen zo internationaal.'
'Of Miss X', zei Emma. 'Dat klinkt geheimzinnig. Dat past wel bij de nieuwste collectie, die moet ook altijd tot het laatste moment geheim blijven.'
Yelien leunde wat dichter naar Eline toe. 'Heb je eigenlijk al een idee voor wie je mode wilt gaan ontwerpen? Ik bedoel: voor mannen of voor vrouwen? Of misschien wel voor kinderen. Heb je daar al over nagedacht?'
Eline knikte. 'Het liefst wil ik mode bedenken voor meisjes van onze leeftijd, van een jaar of tien tot een

jaar of veertien. En in elk kledingstuk komt een etiket met de naam...' Ze sloot even haar ogen en haalde diep adem. 'Met de naam... Missy! Dat wordt mijn merk.'
'Dat klinkt als Miss E!' zei Kato blij.
Yelien knikte goedkeurend. 'Dat heb je knap bedacht.'
'Ik zal je missen als je weg bent', zuchtte Emma.
'Maar ik ben nog lang niet naar Parijs', lachte Eline.
'Ik bedoelde eigenlijk naar De Rozenkrans', zei Emma.
Het werd stil. Ze zaten in een kring rond de tafel en keken elkaar zuchtend aan.
'Ik zie er eigenlijk best tegenop om zonder jullie naar De Rozenkrans te gaan', gaf Eline toe. 'Bijna een week lang tussen vreemde mensen, bijna een week lang zonder jullie...' Ze rilde. 'Brrr, ik wil er nog niet aan denken. En het gaat allemaal zo snel. Zaterdag moet ik weer naar de Evenementenhal voor de uitslag van de nieuwe opdracht. En de tien winnaars worden zondagavond al bij De Rozenkrans verwacht. Dat is zo snel, akelig gewoon.'
'Je kunt misschien nog verliezen', zei Kato hoopvol.
'Of ermee stoppen', vulde Emma aan.
Eline schudde vastbesloten haar hoofd. 'Nee, stoppen... dat doe ik niet. En verliezen... ook liever niet. Weet je wat je kunt winnen als je doorgaat naar de volgende ronde?'
Acht ogen keken haar vragend aan. Het was intussen donker geworden in de tuin. De citroenkaarsjes trokken flakkerende schaduwen over hun gezichten. In het donkere huis sloeg de voordeur dicht. Elines vader riep dat hij weer thuis was.

'Vertel, wat kun je winnen?' drong Kato aan.
'Een tweedelige sieradenset van Jerry Glitz', vertelde Eline. 'Alleen al daarom wil ik niet opgeven. Ik vind Jerry zo fantastisch. Hij is niet alleen knap, maar ook heel aardig. Hij is echt een schatje.'
'En hij heeft een vriend', zei Ellen.
'Hoe kom je daar nu weer bij!' stoof Eline op. 'Jij leest zeker die stomme roddelblaadjes? Als je maar weet dat er niets waar is van wat daarin staat.'
'Sorry', schrok Ellen. 'Dat wist ik niet.'
'Jerry Glitz?' vroeg Kato. 'Hoe oud is hij dan?'
'Hij is nog helemaal niet oud', zei Eline kortaf. 'Hoogstens iets ouder dan wij.'
Je zag Kato nadenken. 'O, dan is hij al jong heel succesvol.'
'Dat is hij ook', zei Eline. Ze was weer iets gekalmeerd.
'Knap hoor', vond Kato. 'Nu jij nog.'

Een groot deel van de zondag was Eline bezig met de nieuwe opdracht. Ze nam een lang stuk raffia en knoopte losjes de uiteinden aan elkaar. Voor de spiegel stak ze haar hoofd erdoor om te controleren of de lengte goed was. Die was perfect. Toen pakte ze de grote, glazen pot vol schelpen die mooi stond te zijn op de kast. Snel zocht ze de schelpen uit. Ze verdeelde ze in twee stapels: met en zonder gaatje erin. De schelpen zonder gaatje liet ze zachtjes terugglijden in de pot. Ze knipte korte raffiadraden. Aan elke draad reeg ze een schelp, die ze met een strikje vastknoopte aan de lange draad. Werd dat niet mooi? Ze hield de ketting in wording even voor zich terwijl ze keurend in de spiegel keek. Ze knikte. Toen haalde ze een papieren zakje uit haar tas. Daarin zaten knoopjes in de vorm van zeesterren. Roomkleurige zeesterren, dat kleurde mooi bij het raffia en de schelpen, had ze bedacht. Met strikjes knoopte ze ook de zeesterren vast. Aarzelend bekeek ze het resultaat. Zou Jerry dit mooi vinden? Ze voelde zich zo onzeker, maar ze moest verder.

De armband maakte ze van elastiek, zodat die niet ongemerkt van je pols kon glijden. Toen ze de schelpen en zeesterren had vastgeknoopt, kon je nauwelijks meer het verschil tussen elastiek en raffia zien. Dat kwam natuurlijk door de zandkleur van het elastiek.

Voor haar op tafel was de berg met schelpen intussen flink geslonken. Toch waren er nog genoeg schelpen over om een extraatje te maken. Extraatjes zorgden misschien ook wel voor extra punten, hoopte ze. Ze pakte twee precies dezelfde haarspelden uit haar kast, druppelde er wat lijm op en bekleedde ze met raffia. Terwijl de lijm droogde, reeg ze twee schelpjes en twee zeesterren aan een stukje raffia en legde er een strik in. Op elke haarspeld plakte ze een strikje met een zeester en een strikje met een schelp. Ze hield de spelden bij de ketting. Het paste perfect bij elkaar. Maar ze had van alles nog wat over. Zou ze nog een corsage maken?

Ze hing de ketting voorzichtig om haar hals, deed de armband om en stak de spelden in haar haren. Voor de spiegel bewoog ze haar hoofd heen en weer.

Eigenlijk was het goed zo, er moest niets meer bij, dacht ze. Toen sloeg de twijfel toe. Ze nam wat draadjes raffia, maakte er een toefje van en stak hier en daar een schelp en een zeester. Ze hield het toefje in de buurt van haar kraag en keek kritisch in de spiegel. Nee, dat werd te druk. Dat was echt te veel van het goede. Met eindeloos geduld maakte ze een klein speldje vast op de achterkant van het toefje raffia en legde het apart. Daar kon ze vast een van haar vriendinnen blij mee maken.
Ze draaide de dop op de lijmtube, liet de laatste schelpen terug in de pot glijden en stopte de overgebleven zeesterren in het zakje. Bij de tafel bleef ze staan. Bezorgd keek ze naar haar juist ontworpen set. Hoe kreeg ze dat zo mooi mogelijk bij de jury? Zou ze het per post versturen? Maar wat bleef er dan van over? Zoals het daar lag op die houten tafel zag het er ook niet echt feestelijk uit. Daar zou Jerry Glitz waarschijnlijk niet warm of koud van worden. Nee, ze moest op de een of andere manier zijn aandacht op zich vestigen. Of op haar ontwerp, want daar ging het om. Maar hoe?
Ze legde de ketting opnieuw op tafel en schikte de strikjes tot er een mooie cirkel ontstond. Onderin die cirkel legde ze de armband. Iets daarboven legde ze links en rechts een haarspeld. Ze maakte een foto. Zo zag het er al beter uit. Maar toch...
Beneden hoorde ze papa lopen. Ze riep hem, misschien kon hij eens kijken.
Met een kritische blik keek papa naar haar ontwerp. Eline wachtte af, met ingehouden adem. Het leek

haast wel of het oordeel van papa belangrijker voor haar was dan het oordeel van de jury.
Eindelijk knikte papa. 'Het is goed, zo. Een mooi en evenwichtig geheel, ik zou er niets meer aan doen als ik jou was.'
Eline knikte. 'Maar ik weet niet hoe ik het op moet sturen. Op de foto komt het niet zo mooi over.'
'Wacht.' Met grote stappen liep papa weg om even later terug te komen met een nachtblauwe, fluwelen doek. 'Probeer dit eens.'
Met zorg drapeerde Eline haar creatie op de zacht glanzende doek. Opeens zag alles er veel mooier uit. De kralen en schelpen staken haarscherp af tegen de donkere ondergrond. 'Ja,' knikte ze, 'zo is het goed.'
Ze prikte de raffia stevig vast en vroeg een grote envelop om alles op te sturen. 'Duim je voor me?' vroeg ze aan papa.
'Denk je echt dat je dat nodig hebt?' vroeg papa verbaasd.
Eline zuchtte. 'Ik heb het heel hard nodig!'
'Goed, ik zal duimen', beloofde papa.
Eline begon zelf alvast duimen te draaien. Ze hoopte zo vurig dat haar ontwerp indruk zou maken op Jerry.

7

Toen Eline op zaterdagmiddag het zaaltje van de Evenementenhal inliep, zag ze dat alle inzendingen uitgestald stonden. Haar eigen ontwerp viel op door de blauwfluwelen doek. Dat was een goed idee geweest van papa.
'Wow!' riep Kato spontaan toen ze het ontwerp van Eline zag. Yelien greep een hand van Eline en drukte haar nagels erin. 'Jij gaat winnen, dat is wel duidelijk.'
Emma knikte. 'Ik vind jouw ontwerp het allermooiste.'
'Gelukkig ben jij niet partijdig', lachte Elines vader.
Nu er nog maar zo weinig meisjes over waren, mocht ze iedereen meebrengen. Zo kwam het dat al haar vriendinnen van de partij waren. Papa had hen gebracht en mama kwam ook een kijkje nemen.
'Is dat jouw inzending?' vroeg ze. Ze wees naar haar ontwerp.
Eline knikte.
'Je wint vast', zei mama.
'Hoe weet je dat zo zeker?' vroeg Eline. 'Je hebt nog lang niet alle inzendingen gezien.' Ze schrok een

beetje dat ze zo uitviel tegen mama. 'Sorry', zei ze zacht. Begon ze nu alweer last te krijgen van haar zenuwen?
'Geeft niet', zei mama. 'Heb je de rest al gezien?'
Eline schudde haar hoofd.
'Kom, dan gaan we kijken', zei mama.
Voetje voor voetje schuifelden ze langs alle inzendingen.
'Kijk daar eens, wat grappig!' Kato wees naar een paar grote margrieten die als oorclips moesten dienen.
Eline haalde haar schouders op. Een beetje zuinig tuitte ze haar lippen. Er waren wel erg veel bloemenslingers, zag ze tot haar geruststelling. Daar lagen nog een paar oorclips. Deze waren met een klaproos bedekt. Geen echte natuurlijk. Nee, van die Hawaïslingers kon ze wel winnen.
Voor het eerst durfde ze weer normaal adem te halen. Toen zag ze de kralen. Ze wist niet wat het meeste indruk maakte: het aantal snoeren of de kleur. Een grote hoeveelheid kettinkjes was aan een zilverkleurige sluiting vastgemaakt. En aan al die kettingen zaten ontelbaar veel kleine, zacht glanzende kraaltjes. Allemaal net verschillend van tint, maar wel in natuurlijke kleuren. De ivoorkleur van schelpen, het zachtgeel van het zand en het tere grijswit van de steentjes op het strand... Als je er lang naar keek, kon je de zee horen ruisen. Eline keek naar de volle halsketting, de korte armband en de oorknopjes die bol stonden van de kralen. Wie had dit moois eigenlijk gemaakt? Dit was wel een

serieuze kanshebber. Eline keek om zich heen. Toen zag ze de etalagepop. Daar moest ze naartoe, of ze wilde of niet. De pop had een haast magnetische aantrekkingskracht.
'Kom!' riep ze. Ze trok Yelien en Emma met zich mee naar de pop, een kale, vleeskleurige kunststof pop. Het had een saaie pop kunnen zijn, maar dat was het niet, vanwege de sieraden. Om de hals en om allebei de armen zaten opvallende kettingen. Grove stukken drijfhout werden met elkaar verbonden door pluizig, gebleekt touw met dikke knopen. De stukken hout waren groot en grof. Ze waren onregelmatig van vorm, alsof de zee de scherpe randen had weggeschuurd.
Met open mond staarde Eline naar de etalagepop.
'Vind je die sieraden mooi?' vroeg Emma met een stem vol ongeloof.
Eline schudde haar hoofd. Mooi? Nee, mooi vond ze ze niet. Toch kon ze maar niet stoppen met kijken.
Yelien liet zich horen. 'Toch heeft het iets.'
Eline knikte. 'Het heeft iets aparts. Je moet er naar kijken, maar tegelijkertijd wil je er liever niet naar kijken.
'Precies!' Yelien knikte heftig met haar hoofd.
'Het heeft iets... dreigends', zei Eline aarzelend. 'Het is bijzonder, maar ook eng.'
Papa kwam naast haar staan. 'Dit zou wel eens het winnende ontwerp kunnen zijn.'
'Dat dacht ik ook al', zei Eline. Van wie zou het zijn? Ze keek om zich heen maar had geen flauw idee.
Met moeite maakte ze zich los van de etalagepop en liep verder langs -alweer- een bloemenslinger.

Wat verderop lag een zomers setje. Iemand had een ketting geregen van kleine aardbeienkraaltjes, opgefrist met af en toe een groen blad. Simpel maar toch aantrekkelijk, dacht Eline terwijl ze verder liep naar een bontgekleurde ketting van rietjes. O! Kijk daar eens! Daar had iemand met eindeloos geduld gaatjes in kiezelsteentjes geboord en die aan een nylondraad geregen. Ernaast lag een prachtige vlinderbroche van gekleurde stukjes glas met bijpassende oorbellen en een ring in dezelfde kleuren. Ze voelde zich verschrompelen bij het zien van zoveel mooie ontwerpen. Het was een prachtige expositie. Langzaam liep ze langs alle vijfentwintig inzendingen. Ze zag een armband van gele, suède veters waar zo af en toe een lieveheersbeestje op zat. Er was een roze veter waaraan stukjes roze glas, roze pareltjes en roze veertjes hingen, in gezelschap van bijpassende oorhangers. Ze zag kunstig gevlochten kralen in de vorm van een brede armband. Ze keek haar ogen uit tot ze weer terug was bij haar eigen werk. Misschien was die ketting van raffia toch iets te simpel? Ja, dat was wel duidelijk na al het moois dat ze bewonderd had. Ze kon zo tien ontwerpen aanwijzen die ze beter vond dan het hare. Kortom: ze kon het verder wel vergeten.
'En?' vroeg Yelien. 'Wat vind je ervan?'
'Ze hebben er een erg mooie expositie van gemaakt', vond Eline. Ze kon het nu niet verdragen om over haar verlies te praten.
'Denk je dat je wint?' vroeg Kato.
Weifelend schudde Eline haar hoofd heen en weer.

Het werd stil. De jury kwam binnen en nam plaats aan de grote tafel. Marilyn was er niet bij, zag Eline. Vivian V trok de microfoon naar zich toe. 'Welkom allemaal, ook namens de andere juryleden. We zullen jullie niet langer in spanning laten en beginnen maar meteen met de juryrapporten. Wie mag ik het woord geven?'
Jerry Glitz stak zijn hand op. Hij boog zich over zijn microfoon en stak van wal. 'Zina, wat dacht jij toen je deze opdracht kreeg? Ik koop wel een Hawaïaanse slinger, dat brengt iedereen in een zonnige stemming?' Op de muur achter hem verscheen een grote afbeelding van de bloemenslinger van Zina. 'Vergeet het maar!' vervolgde Jerry. 'Zo'n slinger brengt echt geen zomer. Jij hebt er niets van jezelf ingestopt. Je kunt gaan.'
Eline voelde het kippenvel over haar huid kruipen. Zo hard had de jury nog niet eerder geoordeeld. Maar zo had ze Jerry ook nog nooit horen praten. Was hij echt zo hard of speelde hij een rol? Ze wist niet wat ze erger vond: dat ze straks weggestuurd werd of dat Jerry zo hard voor haar zou zijn. Daar vertrok Zina met tranen in de ogen, Eline had op slag medelijden met haar. Ze schoof wat dichter naar haar vader toe. Hij stond daar in zijn onberispelijke, zandkleurige overhemd als een rots in de branding, kaarsrecht en met de armen over zijn borst gevouwen.
Jerry ging verder. 'Mona, datzelfde geldt voor jouw margrieten. Als je mode wilt ontwerpen, moet je met je tijd meegaan. De tijd dat mensen met margrieten in hun oren wilden lopen ligt, helaas voor jou, al lang achter ons.'

Eline kreeg een por van Kato. 'Ik vond die margrietjes juist zo leuk. Zie je wel, ik heb helemaal geen verstand van mode.' Ze zweeg, want Jerry's stem klonk weer door de microfoon.
'Liselotte, mijn complimenten voor jouw kleurgevoel. Jij mag door naar de volgende ronde. Kom maar naar het podium.'
Voor het eerst klonk er applaus. Eline gluurde naar Liselotte, die een brede glimlach op haar gezicht kreeg. 'Zij is wel door', siste een gemeen stemmetje in haar oor. Ze schudde even met haar hoofd om het stemmetje weg te jagen. Liselotte had een erg mooi ontwerp gemaakt, ze verdiende het om door te gaan, vond Eline. Ze keek weer naar Jerry, maar die gaf de microfoon aan Frou-Frou.
De zaal was stil. Iedereen hing aan de vuurrode lippen van Frou-Frou. 'De ontwerper van deze creatie mag ook door naar de volgende ronde: een vlinder van stukjes gebroken glas die het zonlicht vangen en terugkaatsen... Yasmine, jij bent door.'
Er klonken aanmoedigende geluiden die meteen verstomden omdat Frou-Frou al weer verder ging. 'Zoals Jerry al zei, zijn margrieten al lang geen mode meer. Datzelfde geldt voor klaprozen. Yara, jij mag vertrekken. En Robine mag met je mee, de jury vond haar bloemenslinger er een van dertien in een dozijn.' Frou-Frou keek even over haar schouder. 'Van deze roze veter met stukjes roze glas, parels en veertjes kreeg de jury een feestelijk gevoel. Het ontwerp doet ons denken aan tintelende, roze champagne. Ontwerpster Alissia mag door naar de volgende

ronde. Datzelfde geldt voor Zoë. De jury vond haar blauwgroene ster- en maanvormige kralen bijzonder van kleur en vorm.' Frou-Frou keek even de zaal in voor ze verder sprak. 'Katelijne, jouw halssnoer van aardbeien zag er zomers uit. Helaas zag de jury niets nieuws onder de zon. Je mag gaan.'
Katelijne keek beteuterd en zocht troost bij een vriendin. Eline haalde diep adem. Hoeveel meisjes waren er nu beoordeeld? Negen, als ze het goed had. Vier waren er al door naar de volgende ronde. Maakte ze nog kans? Daar moest ze maar niet meer op rekenen. Ze schrok op toen de stem van Leo Leoni door de zaal klonk.
'Maud', begon Leo Leoni. Achter hem verscheen een foto van een vernuftig gevlochten armband. 'Je hebt een knap stukje vlechtwerk laten zien. Dat bewijst dat je handig bent, maar voor de jury is dat niet genoeg. En dat geldt ook voor de volgende creatie.' Leo Leoni keek even achterom, waar opnieuw een kunstig gevlochten ketting verscheen. 'Julia, wij moeten afscheid van je nemen. Helaas.
Eline hield even haar adem in nu er weer twee concurrentes werden weggestuurd. Ze dacht: wie volgt? Misschien ik wel, schrok ze.
'Zo eenvoudig kan het zijn', vervolgde Leo Leoni. 'Vijf gele stukjes suède veter, bij elkaar gehouden door een rode kunststof sluiting met hier en daar een lieveheersbeestje. Caro, jij bent door naar de volgende ronde! Rosie, leuke kralen heb je gebruikt, met al die zomervruchten erop. Maar je hebt er jammer genoeg niets van jezelf bij gedaan. Je kunt gaan. Sarah...'

Leo Leoni keek zoekend de zaal in. 'Sarah, vlinders met gazen vleugeltjes zijn al zo oud... Ook voor jou stopt het hier. Wat de jury wel de moeite waard vond, waren de ketting en armband van Layla. Elk sieraad bestaat uit een lange zilverdraad die in grillige vormen is gebogen. Layla, kom er maar bij.'
Terwijl Layla het podium beklom, gaf Leo Leoni de microfoon door aan Vivian V. Zij nam een slokje water voor ze van start ging. Het was ook warm in de zaal, vond Eline. Met haar tong ging ze langs haar lippen. Ze had dorst. En haar zenuwen begonnen op te spelen. Telkens gleden haar ogen naar het podium en steeds opnieuw telde ze het aantal meisjes dat er stond. Met zessen waren ze nu. Nog maar vier te gaan.
Vivian V trok meteen de aandacht met haar lage stem. 'Door het zeewater geslepen kiezelstenen en door Britt tot een ketting verwerkt. Britt, gefeliciteerd. Jij hebt op een evenwichtige manier van de natuur gebruikgemaakt.'
Nog maar drie, schrok Eline. Welke drie zouden dat zijn? Ze probeerde de ontwerpen in haar herinnering terug te halen, maar hoe ze ook haar best deed, er schoot haar niets te binnen. Ja toch, de etalagepop... Dat was de grote kanshebber. Maar dat betekende dat er nog maar twee andere winnaars overbleven. Nog maar twee... ze liet haar hoofd hangen. Meteen voelde ze een hand op haar schouder. Iemand zei iets in haar oor: 'Als je niet meer in jezelf gelooft, wie moet er dan in jou geloven?'
Ze keek om, recht in het gezicht van Yelien. Zoiets

moois kon alleen Yelien bedenken. Die zin moest ze in haar dagboek schrijven. Nee, op een vel papier boven haar bed hangen.
'Kop op, meisje', zei Yelien weer.
Eline trok een scheef gezicht dat ergens tussen een glimlach en een zenuwtrek in hing. Ze moest opletten, want Vivian V was alweer aan het woord. Hooguit een paar minuten en dan wist ze de waarheid.
'Rocy-Ann, jouw ontwerp was aardig, maar voor de jury niet goed genoeg', zei Vivian V.
Wat onvriendelijk, schoot het door Eline heen. Maar het kon erger, merkte ze meteen.
'Olly, Nina, Nathalie en Richelle, de jury vroeg zich af of jullie soms dezelfde kralendoos hebben gekocht.' Vivian V keek vragend de zaal in. 'Er zit totaal geen persoonlijke inbreng in jullie kettingen. Jullie mogen gaan.'
Een van de meisjes begon te huilen, zag Eline. Verliezen was al erg genoeg, vond ze. Als je daar ook nog bij ging huilen, werd het helemaal een drama.
'Wij ontvingen een ontwerp gemaakt van rietjes', ging Vivian V verder. 'De jury twijfelde even of een halsketting van rietjes wel prettig draagt, maar het materiaal is zo speels verwerkt dat de jury toch voor dit ontwerp koos. Noa, jij gaat door naar de volgende ronde!'
Geschokt keek Eline om zich heen. Nog maar twee te gaan. Wie was er nog over?
Jerry Glitz had de microfoon weer in zijn hand. 'We zijn nu bij de laatste drie kandidaten aangekomen.

Eline, Haley, en Kyra, om ze even in alfabetische volgorde te noemen.'
Dat hij dat laatste er nog bij zei, deed er niet meer toe. Eline kreeg al een rolberoerte bij het horen van haar naam. Vanuit haar ooghoek zag ze papa naderen. Hij vangt me op als ik flauwval, dacht ze.
'Twee van deze drie meiden mogen door naar de volgende ronde', zei Jerry. 'Een van hen zien wij na vandaag niet meer terug. Haley, zoals je ziet hebben wij jouw werk op een etalagepop uitgestald. Jouw ontwerp is van een soberheid die diepe indruk op de jury maakte. Jij laat het materiaal spreken en wij willen graag meer van je zien. Haley, je bent door!'
Met een glimlach op haar engelengezichtje liep Haley naar het podium.
Jammer, dacht Eline. Ze had het warm, zo warm...
Ze voelde een hand in haar rug, maar keek niet om. Bedankt, papa, voor je ruggensteuntje, dacht ze.
'Eline en Kyra...'
Nu doet hij het weer, schrok Eline bij het horen van haar naam.
'Een van jullie twee heeft een ontwerp gemaakt dat bij de jury opviel door de eenvoud. Een simpel ontwerp waarbij natuurlijke materialen gebruikt zijn... Eline, jij bent door naar de volgende ronde!'
Ze slaakte een gil en sloeg van schrik haar handen voor haar mond. Toen voelde ze armen om zich heen. Van papa en mama en van al haar vriendinnen. Terwijl ze zich tranen in haar ogen lachte, werd ze met zachte hand richting podium geduwd. Daar stond ze nu met een stralend gezicht in het rond te kijken.

Nog één keer werden de winnende namen genoemd. 'Hier zijn ze dan: onze tien kanjers!' kondigde Jerry Glitz aan. 'Graag een warm applaus voor Liselotte, Yasmine, Alissia, Zoë, Caro, Layla, Britt, Noa, Haley en Eline! Morgenavond zien wij jullie terug in De Rozenkrans waar de strijd om de titel pas echt gaat beginnen. Aan het eind krijgen we antwoord op de vraag: wie is de ontwerper van het jaar? Als je thuiskomt vind je alle informatie in je mailbox. Maar nu eerst voor jullie allemaal een exclusieve sieradenset, speciaal van mij.'
Een voor een gaf Jerry de ontwerpsters zijn set, gevolgd door een zoen. Eline wist niet meteen wat ze het mooiste cadeau vond: de zoen, de set of het feit dat ze de finale had bereikt? Helemaal beduusd stapte ze het podium af. Opnieuw werd ze omhelsd, deze keer ook door mensen die ze helemaal niet kende. Mensen van de organisatie, ouders van andere kandidaten en zelfs meisjes die verloren hadden, feliciteerden haar. Wat sportief was dat! Ook de jury kwam van het podium om de tien finalisten persoonlijk te feliciteren en om hen succes te wensen bij de strijd om de titel. Jerry was daar natuurlijk ook bij en opnieuw voelde Eline zijn zachte lippen op haar wang. Deze keer sloegen de vlammen uit haar hoofd. Ze hoopte dat hij het niet merkte. Haar hart bonkte, haar hoofd suisde... Ze zou geen oog dichtdoen vannacht, dat wist ze nu al.

8

Tot haar eigen verbazing sliep Eline als een roos. Sterker nog: ze sliep een gat in de dag. Toen ze wakker werd, bleef ze nog even liggen om met haar ogen dicht te luisteren naar de geluiden in het huis. Ze was bij mama thuis en daar was alles stil. Zelfs de klak-klak hakjes van mama op de tegelvloer ontbraken. Zou mama soms ook nog slapen?
Eline wreef door haar haren, rekte zich uit en stapte uit bed. Nee, mama sliep niet meer. Ze zat in de tuin te lezen. Eline zette thee voor twee en ging even bij haar zitten. Ze knipperde met haar ogen tegen de uitbundige zon.
Mama viste het theezakje uit haar glas en keek Eline aan. 'Vandaag is je laatste dag.'
Eline liep weg en kwam terug met een schoteltje voor de natte theezakjes. 'Ja, en de helft van de dag is al voorbij.'
'Dank je.' Mama schoof haar zonnebril omhoog en legde haar theezakje op het schoteltje. 'Moet je nog veel doen vandaag?'
Eline roerde in haar thee en probeerde na te denken.

'Geen flauw idee, ik moet eerst maar eens mijn mail nakijken. Jerry zei dat ze nog zouden mailen.'
Mama nam voorzichtig een slokje. De thee was nog heet. Ze blies en wachtte even. 'Die Jerry vind ik zo'n schatje, een echte lieverd lijkt me dat. En hij is zo knap, stukken knapper dan die Leo Leoni. Vind je niet?'
Eline sloot haar ogen en zette haar lippen tegen het glas. Vanbuiten leek het net of ze al zonnebadend thee dronk. Dat was bedrog. Witheet en tandenknarsend zat ze op haar stoel terwijl de warme theedampen haar neus vochtig maakten. Mama vond Jerry een schatje. Dat was weer typisch iets voor mama, wat een ellende. Waarom vond ze die Leo Leoni niet gewoon aardig? Die was van haar eigen leeftijd. Goed, hij werd wat kaal. Een klein beetje maar, je zag het alleen aan de diepe inhammen op zijn voorhoofd. En om die te camoufleren zorgde Leo ervoor dat zijn haar naar voren viel, precies over die kale plekken. Met de nodige gel bleef dat kapsel de hele dag zitten. Voor de rest had hij mooi zwart haar. Of zou dat geverfd zijn? Als dat zo was viel het in elk geval niet op. Goed, hij was wat klein, maar dat kwam alleen omdat hij korte beentjes had. En hij had een buikje, maar dat paste wel bij zijn ronde gezicht. Bovendien ontwierp hij de mooiste tassen van de wereld en mama hield nog wel zo van tassen. Dat moest toch een extra reden voor haar zijn om Leo Leoni leuk te vinden. Maar nee hoor, mama vond Jerry leuker. Belachelijk. Die was toch veel te jong voor haar? Verdorie. Mama wist altijd precies hoe ze de dag moest bederven.

Met een bons zette ze haar theeglas op tafel. De thee spatte over de rand maar dat kon haar toch niets schelen. Haar neus was vochtig en achter haar ogen prikten de tranen. Ze sprong op.
'Wat is er?' vroeg mama met verbazing in haar stem. Dat maakte het alleen maar erger. Mama had er weer eens niets van begrepen.
Eline mompelde iets over een zakdoek halen en verdween naar binnen. Ze was nog geen uur wakker en had nu al last van een zeurend gevoel in haar maag. Nee, ze werd niet ziek, daar hoefde ze niet bang voor te zijn. Een zeurende maag had bij haar alles te maken met een zeurende moeder. Waarom had zij geen normale moeder, zoals haar vriendinnen? Waarom moest haar moeder altijd zo overdreven haar best doen om jong te lijken? Waarom wilde haar moeder altijd zo flitsend en swingend overkomen? Als ze normaal deed, was ze veel aardiger. Mama hoefde echt niet na school met een kopje thee naar haar verhalen te luisteren, zoals de moeder van Kato. Echt niet. Liever niet, zelfs. Maar dat mama de jongens leuk vond die zijzelf geweldig vond, dat was eigenlijk te erg voor woorden.
Ze pakte een tissue, snoot haar neus en keek in de spiegel. Er was niets bijzonders te zien. Geen rode neus of dikke ogen. Mooi. Dan ging ze nu rustig aan haar voorbereidingen beginnen. Vandaag was haar dag. Zij had het tot de finale geschopt en daar mocht ze best trots op zijn.
Natuurlijk was ze een beetje zenuwachtig om met wildvreemde mensen in De Rozenkrans te logeren.

Ze had eens om zich heen gekeken toen ze op het podium tussen de finalisten stond. Die andere meisjes leken wel mee te vallen, behalve Haley dan. Als het om ontwerpen ging, waren ze concurrenten van elkaar. Iedereen wilde winnen, dat was logisch. Dat wilde ze zelf ook. Maar daarom kon je nog best plezier met elkaar hebben.
In gedachten tekende ze een vakje in haar hoofd, een speciaal vakje voor mama. Mama was mama en dat was al moeilijk genoeg. In de rest van haar hoofd was plaats voor andere dingen.
Ze zette haar laptop aan om te kijken of het mailtje van de organisatie er al was. Ja hoor, het was er. Ze strekte haar hals en schoof naar het puntje van haar stoel om maar geen woord te missen.

Van: suzette@Y&B.com
Aan: eline.topontwerpster@fgo.fun
Onderwerp: *Young & Beautiful* wedstrijd voor ontwerpers
Bijlage: contactgegevens van De Rozenkrans

Dag Eline,

Allereerst van harte gefeliciteerd omdat jij de finale bereikt hebt van onze wedstrijd voor ontwerpers. De komende week zal blijken wie van jullie de Topontwerper wordt.

Vanavond om zeven uur word je verwacht op De Rozenkrans. Ik stuur de gegevens mee zodat je het makkelijk vinden kunt. De ontvangst duurt ongeveer een uur. Bij aankomst is er wat te drinken en daarna krijg je met je ouders een rondleiding door het gebouw. Dan wordt het tijd dat jullie afscheid van elkaar nemen.

De rest van de avond gaan de finalisten kennismaken met elkaar. Jullie leven vijf dagen onder hetzelfde dak, dan is het prettig om elkaar een beetje te kennen.

Vivian V, Jerry Glitz, Leo Leoni en Frou-Frou zullen regelmatig aanwezig zijn om jullie te begeleiden en jullie resultaten te beoordelen.
Als er vragen of problemen zijn, kunnen jullie op elk gewenst moment contact met mij opnemen. Gedurende jullie verblijf op De Rozenkrans ben ik jullie aanspreekpunt.

Op jullie kamer vinden jullie papier en potloden. Jullie hoeven geen naald en draad, schaar of spelden mee te nemen. Daar zorgen wij voor. Het souterrain hebben we tijdelijk ingericht als winkel, waar jij als toekomstig ontwerper alles vindt wat je nodig hebt.

Voor een van de opdrachten die je krijgt, is het wenselijk dat je een rokje van thuis meebrengt. En misschien is het leuk om een fotocamera mee te nemen. Jullie gaan een onvergetelijke week tegemoet en het is fijn als je daar thuis nog eens op terug kunt kijken aan de hand van wat foto's.

Ik wens je veel succes en ik zie je vanavond.
Een hartelijke groet van

Suzette

Eline voelde dat haar hand licht trilde toen ze die op de muis legde. Ze klikte de bijlage aan en zag een foto van De Rozenkrans. Eronder stond het adres en een uitgebreide beschrijving van het gebouw. Het was vroeger een klooster geweest, las Eline. Maar de sobere kloostercellen waren intussen verbouwd tot comfortabele kamers voor congresgangers. Eline bekeek de foto's. Wat een luxekamers waren dat. Er waren zelfs badkamers met een jacuzzi. En er was een zwembad. Ze dacht aan papa en aan zijn zakenreizen en voelde zich opeens toch wel belangrijk. Ze leek wel een VIP, een Very Important Person. Of een ZIP, een Zeer Interessant Persoon. Ze klikte op 'Doorsturen' en stuurde het mailtje naar papa, mama, Yelien, Ellen, Emma en Kato. Zo kon iedereen zien waar zij de komende dagen vertoefde. Haar vriendinnen zouden hun ogen uitkijken bij het zien van al die luxe. En zelf besefte ze ook nog niet wat voor een groot avontuur haar te wachten stond. Voor het eerst ging ze helemaal alleen op reis naar een onbekende bestemming. Alhoewel, de reis maakte ze niet alleen. Papa zou haar brengen en mama had gezegd dat ze mee wilde. Eline glimlachte bij de gedachte aan papa en mama samen in één auto. Nog geen jaar geleden had mama geen goed woord over voor papa. Als hij ergens opdook, vluchtte zij onmiddellijk weg. Alsof hij een monster was. En nu... Nu reisden ze samen in dezelfde auto. Het moest niet gekker worden. Straks legden ze hun ruzies nog bij en gingen ze weer samenwonen. Eline schudde vastbesloten haar hoofd. Ze moest niet zulke rare dingen denken.

Papa en mama zouden nooit, maar dan ook nooit meer samen verder gaan. Dat was maar goed ook. Ze zouden binnen de kortste keren weer ruzie krijgen omdat ze zo verschillend waren. Het was goed zo, vond Eline. Hoofdzaak was dat ze nu bij allebei kon wonen, de ene week bij papa en de andere week bij mama.
Ze las het mailtje nog eens na. Eigenlijk hoefde ze helemaal niet zoveel mee te nemen. Haar fototoestel. Wacht, ze zou het meteen klaarleggen, dan kon ze het niet vergeten. Ze legde haar camera op haar bureau en trok de kastdeur open. Welk rokje zou ze meenemen? Dat lag eraan wat ze ermee van plan waren, maar dat stond niet in het mailtje. Eline schoof de kleerhangers een voor een opzij. Nam ze haar nieuwste rokje mee? Dat was haar bloemetjesrok. Was dat slim? Stel je voor dat ze de rok moesten versieren... Dat werd wat lastig met een rok waarvan iedere centimeter bedrukt was met vrolijk gekleurde bloempjes.
Nee, ze kon die rok beter aantrekken. Die stond haar goed en dat was goed voor haar zelfvertrouwen. Wat had Yelien ook alweer gezegd? Eline zocht naar de juiste woorden. O ja: Als je niet meer in jezelf gelooft, wie moet er dan in jou geloven?
Ze pakte haar blauwe rokje uit de kast, vouwde het op en legde het bij het fototoestel. Toen liep ze naar de badkamer. Nergens vond ze nog monsterflesjes van de witte lotusbloem, er stond alleen een grote, nieuwe fles. Die had mama natuurlijk voor zichzelf gekocht. Ze stak haar hand uit en aarzelde. Toen draaide ze zich om en liep naar de tuin.

'Mam, ik kan geen monstertjes meer vinden van dat nieuwe badschuim, de witte lotusbloem. Mag ik een beetje gebruiken uit de grote fles?'
Mama schoof haar zonnebril in haar haren. 'Ja, natuurlijk mag dat. O, wacht eens...' Mama liep naar binnen, pakte haar autosleutel en verdween door de voordeur naar buiten. Al gauw was ze weer terug met haar armen vol spullen. 'Kijk eens, een reissetje. Komt dat even mooi uit. Alsjeblieft, voor jou.'
Eline keek naar de transparante toilettas met een rijtje flesjes en potjes. Badschuim, douchecrème, shampoo, reinigingsmelk en dagcrème. Allemaal gemaakt van de witte lotusbloem. Als er iemand evenwichtig zou zijn de komende week was zij het wel. 'Wow! Bedankt!' Spontaan gaf ze haar moeder een kus. Mama werd er blij van, zag ze.
'Ik heb nog wat monsterflesjes voor op de badkamer', zei mama.
Eline pakte de tasjes aan. 'Ik neem ze wel mee.'
Geurend naar witte lotusbloem kwam ze een uur later uit de badkamer. Ze trok de bloemetjesrok aan met een bijpassend bloesje en zette de grote vakantiekoffer klaar. Als eerste ging het blauwe rokje erin. En haar map met modeknipsels. En een schetsboek. En toen? Wat nam ze nog meer mee? Een spijkerbroek voor als het fris was en een kniebroek voor als het warm werd. Met een paar hemdjes erbij, er bleef toch nog wel tijd over om in de zon te zitten? Als het 's avonds fris werd, was een vest misschien wel handig. En een paar shirts met lange mouwen, want het kon natuurlijk ook koud zijn.

O ja, makkelijke kleding voor als ze echt aan de slag moest. Wat katoenen broeken en rokken met wat bijpassende bloesjes. Slippers en dichte schoenen…
O ja, haar bikini, want er was een zwembad. Dan moest haar grote badlaken ook mee, natuurlijk.
Ze pakte haar borstel, kam, haardroger en nieuwe reissetje. Help! De koffer ging niet dicht. Ze worstelde met de klep van de koffer en sjorde aan de riemen tot haar nagel brak. Ook dat nog. Hijgend stond ze voor de koffer, terwijl de zweetdruppels op haar voorhoofd parelden. Ze wilde ze wegwrijven maar bleef met het randje van haar gescheurde nagel aan haar bloes hangen. Een lange draad bleef aan de rafelnagel hangen. Mama, help! Nog voor mama de nagelvijl kon pakken klonk de deurbel. Ding-dong! Het was papa. Papa, help! Hij kon meteen aan de slag.
Papa keek naar de uitpuilende koffer. 'Ga je emigreren?'
'Zal ik eens kijken?' bood mama aan.
'Het is wel voor warm en voor koud weer', zei Eline vlug.
Mama knikte. 'Dat begrijp ik. In het voorjaar moet je overal rekening mee houden. Vijl jij je nagel, dan kijk ik je koffer na.'
Al vijlend keek Eline hoe mama nieuwe stapeltjes maakte en soms iets terug in de kast legde. Samen ritsten ze de koffer dicht.
Toen ging de bel. In de gang klonken bekende stemmen.
'Wij komen nog even dag zeggen', zei Yelien.
'En je succes wensen', knikte Ellen.

‘Heel veel succes’, vulde Emma aan.
Kato klonk geheimzinnig. ‘We hebben iets voor je.’
Druk kletsend liepen ze naar de tuin. Daar
pakte Eline de cadeautjes uit. Ze kreeg een klein
gelukspoppetje.
‘Dat is van ons allemaal’, zei Emma. ‘Het houdt je
gezelschap en het brengt je geluk nu wij niet bij je
kunnen zijn.’
‘Ach, wat lief’, slikte Eline. ‘Ik mis jullie nu al.’ Ze
voelde aan het volgende pakje. Wat zou daarin zitten?
Rits-rats! Daar vloog het schattige cadeaupapier aan
flarden. Met grote ogen van verbazing keek ze naar
het pakje. Het was een rol met etiketten. Stoffen
etiketten waarop in blauwgroene letters stond
geborduurd: ‘Missy, met liefde gemaakt door Eline’.
Even was Eline stil van verbazing. Toen vroeg ze:
‘Hoe komen jullie hieraan?’
‘Die hebben we laten maken’, zei Yelien.
‘Vandaag?’ riep Eline uit.
‘Nee, natuurlijk niet’, zei Ellen. ‘We hebben de
etiketten vorige week al besteld.’
Kato knikte. ‘We wisten heus wel dat jij ging winnen.’
In het laatste pakje zat een rond doosje. Er zaten
opgerolde briefjes in. Eline wilde er eentje uithalen
maar Emma zei snel: ‘Stop! Dat mag nog niet. We
hebben ieder vijf wensen opgeschreven, voor elke
dag van de week eentje. Ieder op een eigen kleur
papier. Vanaf morgen mag jij elke dag vier briefjes
openmaken, van elke kleur één. Zo kun je de dag toch
nog een beetje met ons beginnen.’
‘Wat lief!’ riep Eline. Ze knipperde met haar ogen.

‘O, wat zal ik jullie missen!’
Opnieuw klonk de bel. Het was de pizzakoerier. Papa had voor hen allemaal pizza’s besteld. Mama zat mee in het complot. En haar vriendinnen blijkbaar ook. Ze moesten haar toch uitzwaaien, vonden ze.

9

Eline tuurde door de voorruit van de auto. Aan het einde van de bomenlaan lag De Rozenkrans, precies zoals op de foto. Onderaan de trap wachtte Suzette. Ze had haar naamkaartje op haar kraag gespeld. Ze droeg een mantelpakje waardoor ze erg op een stewardess leek, vond Eline, en ze heette hen van harte welkom. 'Jullie zijn de laatsten maar nog ruim op tijd, hoor.'
Geen wonder dat ze de laatsten waren. Ze hadden met gemak de eersten kunnen zijn, want ze stonden ruim op tijd bij de auto. Eline moest alleen nog afscheid nemen van haar vriendinnen. Dat duurde langer dan verwacht.
Eerst sloeg Yelien allebei haar armen om de hals van Eline. 'Bel je me?'
'Natuurlijk', beloofde Eline.
'Heb je de oplader van je telefoon?' vroeg papa.
Eline dacht koortsachtig na. 'Oeps! Die ligt geloof ik nog bij het stopcontact.' Ze holde naar haar kamer, pakte de oplader en verscheen hijgend weer bij haar vriendinnen. Het afscheid nemen kon verdergaan.

'Ik zal je missen', zuchtte Ellen.
'Ik jullie ook', snikte Eline.
Kato probeerde er geen drama van te maken. 'Jij hebt het vriendinnendagboek bij je zodat je alles voor ons op kunt schrijven. En we blijven gewoon bellen, mailen en sms'en.'
Eline knikte. 'Zo vaak ik kan. Sturen jullie dan ook berichtjes terug, anders weet ik niet hoe ik de komende vijf dagen moet overleven. Ik krijg al buikpijn als ik eraan denk.'
'Misschien kun je wat foto's mailen', opperde Emma. 'Dan weten wij een beetje hoe het eruitziet daar bij jou.'
'Heb ik mijn camera wel in mijn koffer gestopt?' schrok Eline. Ze had de camera als eerste klaar gelegd, maar toen ze haar koffer in ging pakken twijfelde ze opeens of ze de camera in haar koffer of in haar handtas zou stoppen. Razendsnel keek ze in haar tas. Geen camera. 'Papa, wil je alsjeblieft de kofferbak openmaken? Dan kan ik kijken of ik mijn camera bij me heb.'
Papa zuchtte. 'Heb je een vaste plaats voor je camera?'
Eline knikte. 'In de middelste bureaula.'
'Het lijkt me beter dat je daar eerst even kijkt voor je hier op straat je koffer uit gaat pakken', stelde papa voor.
Opnieuw spurtte Eline naar haar kamer om even later triomfantelijk terug te keren met haar cameraatje.
'Die lag helemaal niet in de la, maar op het bureau.'
'Gelukkig.' Mama slaakte een diepe zucht toen ze voor de derde keer de voordeur op slot draaide.

'Kunnen we nu echt vertrekken?'
Het kon. Eindelijk. Maar daardoor kwamen ze wel als laatste bij de Rozenkrans aan. De andere meisjes stonden in de ontvangsthal met hun ouders iets te drinken. Eline probeerde zich hun namen te herinneren. Haley herkende ze meteen. Ze voelde een steek in haar maag. Liselotte herinnerde ze zich nog van dat prachtige ontwerp met kralen, bij Layla dacht ze meteen aan de ketting van zilverdraad en bij Yasmine aan de glinsterende vlinder. En was dat niet Caro van de armband met de lieveheersbeestjes?
Suzette kondigde de rondleiding aan.
Eline keek haar ogen uit. Er waren twee grote ateliers. Daar stonden twee lange tafels waar je aan kon werken. Maar er waren ook kleine hoekjes waar je alleen kon werken. Elk hoekje was afgeschermd, zodat je in het diepste geheim aan je ontwerp kon werken. Langs de korte wand stond een tafel met vijf naaimachines. Er stonden levensgrote poppen waar je jouw ontwerp op kon passen. En verder zag je overal meetlinten, speldenkussens, potloden en papier.
In de huiskamer scheen de avondzon door de grote ramen naar binnen. De roodgeelgroene ruitjes van glas in lood maakten gekleurde vakjes op de lichte, houten vloer. Er stond een grote, ronde tafel waaraan je kon eten of vergaderen. De andere helft van de grote ruimte werd gevuld met banken en loungestoelen. Overal lagen modebladen.
De kamer zag er knus uit, vond Eline. Ze zag zichzelf al op een van de banken liggen.
'Hieronder in het souterrain hebben we tijdelijk een

winkel ingericht', legde Suzette uit. 'Daar gaan we morgen voor het eerst heen. Nu gaan we even naar jullie kamers kijken.'
De slaapkamers waren groot. Tegen de ene muur stonden twee flinke bedden met een brede, lage tafel ertussen. Aan de wand er tegenover stonden twee werktafels, de ene in de linkerhoek en de andere in de rechter. In het midden hing een plat televisiescherm waar een bankje voor stond. Alle kamers waren hetzelfde, maar ze waren allemaal net even anders ingericht.
Suzette liet een badkamer zien met grote spiegels, veel verlichting en een douche.
'Geen jacuzzi?' vroeg Yasmine teleurgesteld. Haar ouders begonnen te lachen. 'Yasmine kan urenlang in bad liggen', zei haar moeder. Eline was blij dat haar moeder niet zulke dingen vertelde.
Suzette schudde haar hoofd. 'Nee, op deze afdeling vind je geen jacuzzi maar wel een regendouche.'
Wow! Een regendouche had papa ook en dat was fijn.
Toen werd het tijd om afscheid te nemen van de ouders. Na veel zoenen en zwaaien keerden de meisjes terug naar de grote woonkamer. Daar mochten ze wat te drinken uit de koelkast halen.
Toen was het de bedoeling dat ze zich voorstelden aan elkaar. Iedereen noemde haar naam en vertelde kort even iets over zichzelf.
Tot slot zette Suzette een champagnekoeler op tafel.
'Champagne?' vroeg een meisje van wie Eline de naam niet meer wist. Of heette ze Noa? Ja...
Suzette schoot spontaan in de lach. 'Hier zitten jullie

sleutels in. Je hebt vast wel gezien dat er vijf kamers voor jullie zijn gereserveerd. Je slaapt dus met zijn tweetjes op een kamer. Bij wie je slaapt, bepaalt het lot. Iedereen mag zo meteen een sleutel uit deze koeler halen, zonder te kijken, natuurlijk.'
Eline slikte. Hierop had ze niet gerekend. Aarzelend sloot ze aan in de rij. Met haar ogen dicht pakte ze een sleutel. Nummer zeven, stond er op het blokje van plexiglas dat aan de sleutelhanger hing. Zeven was dit jaar nog wel haar geluksgetal, had ze in haar horoscoop gelezen.
'Ik heb ook nummer zeven', zei Haley.
Eline voelde haar maag verkrampen. Dat zij nu uitgerekend met Haley een kamer moest delen... Help! Kon ze niet met iemand ruilen? Zoekend keek ze om zich heen. Maar Haley pakte haar bij de arm en trok haar mee naar een van de banken. Diep weggezakt in de kussens probeerde Eline haar schrik te verbergen.
'Je reageert niet echt blij', begon Haley.
Eline zuchtte en zocht naar de juiste woorden, maar die vond ze niet.
Haley boog zich naar haar toe. Haar stem klonk zacht en heel dichtbij toen ze zei: 'Ik snap het heus wel, hoor. In de Evenementenhal was ik niet zo aardig. Ik was gewoon een bitch. Maar ik was helemaal op van de zenuwen. Echt, ik kon helemaal niets verdragen. O, ik schaamde me later zo. Ik heb je nooit meer aan durven kijken.'
Eline keek op. Ze zag dat Haley tranen in haar ogen had. 'Niet huilen, zo erg is het echt niet.'
'Het is juist wel erg', snifte Haley.

Eline legde een hand op Haley's arm. 'Nee hoor, weet je dat ik dat ook heb?'
Haley veerde op. 'Echt waar?'
Eline trok haar hand weer terug. 'Je moest eens weten... Vlak voor ik die eerste keer naar de Evenementenhal vertrok, had ik bijna ruzie met iedereen. Ik wilde het niet, maar het gebeurde vanzelf.'
Haley zat driftig ja te knikken. 'Die eerste keer heb ik vreselijk ruzie gemaakt met mijn zusje. Zij was helemaal in tranen. Daarom werd mijn moeder boos op me en toen maakte ik ook nog ruzie met haar.'
Eline knikte steeds heftiger. 'Ik heb precies hetzelfde.'
Ze zaten zo druk te praten dat ze niet eens merkten dat Suzette voor hen stond. 'Het lijkt of jullie dikke vriendinnen gaan worden.'
Eline kreeg een glimlach op haar gezicht en knikte. Wie had kunnen bedenken dat Haley en zij vriendschap zouden sluiten? Ze voelde hoe ieder spiertje zich ontspande nu alle stress rondom Haley verdween. En nu ze in alle rust nadacht, schaamde ze zich een beetje. Ze had wel snel een oordeel geveld over Haley. Achteraf gezien was dat erg kortzichtig van haar geweest. Maar achteraf had je altijd makkelijk praten.
Er was alleen een klein probleempje, dacht Eline. Nu ze een kamer met iemand anders deelde, moest ze haar vriendinnendagboek wel goed verstoppen. Terwijl Haley met Suzette in gesprek was, glipte Eline naar boven. Ze draaide de deur op slot, haalde het dagboek tevoorschijn en begon te schrijven.

Aan mijn BFFs,

Ik zit hier op de rand van mijn bed te schrijven. We hebben geloot met wie ik een kamer moet delen. Jullie raden het nooit... Mijn kamergenootje is... schrik niet... Haley!!!!!
Maar we hebben een hele poos zitten kletsen en ze valt heel erg mee. Ze deed zo rottig vanwege de zenuwen, zei ze. Dat begrijp ik wel. We hebben het uitgepraat en ik denk dat ze wel een leuke vriendin kan worden deze week. Een soort schoolvriendin, bedoel ik. Best Friends Forever, zoals met jullie, nee... De vriendschap met jullie is zo bijzonder, daar komt niemand tussen. Ik denk dat ik hier een paar toffe dagen zal hebben, maar ik mis jullie nu al.

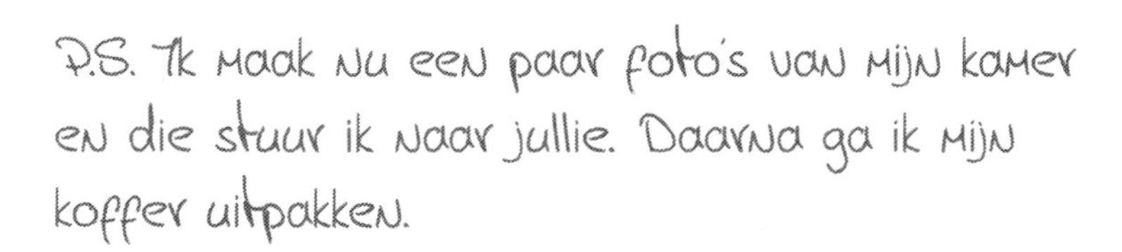

Luf u 4ever,

Eline

P.S. Ik maak nu een paar foto's van mijn kamer en die stuur ik naar jullie. Daarna ga ik mijn koffer uitpakken.

Toen haar koffer leeg was, stopte ze het dagboek in het geheime vak met ritssluiting in het deksel. Het gelukspoppetje zette ze op het tafeltje naast haar bed, boven op het spanen doosje met wensen. Zo waren haar vriendinnen toch een beetje bij haar.
Toen ze beneden kwam, rook de grote kamer naar vruchtenthee.
'Wil jij ook?' vroeg Suzette. 'Kom, dan maak ik je wegwijs zodat je volgende keer gewoon thee kunt nemen als je zin hebt.'
Met haar mok dampende thee zocht Eline een plaatsje op een van de banken. Ze ging bij Zoë en Alissia zitten, twee meisjes die ze nog niet kende, en maakte een praatje. Want als je vijf dagen lang onder hetzelfde dak leefde, was het fijner als je elkaar een beetje kende, had Eline bedacht. Je moest op zijn minst elkaars naam weten. Het stond zo ongezellig als je moest zeggen: 'Eh... dingetje, geef jij de aardappels even door.'
Suzette kwam bij de groep zitten en nam het woord. 'Ik zal in het kort even vertellen hoe jullie dagen eruit zullen zien. Elke morgen om half negen word je hier verwacht voor een gezamenlijk ontbijt. Van negen tot half tien ben je vrij. Je kunt nog even naar je kamer gaan of een luchtje scheppen in de mooie kloostertuin. Om half tien verwacht ik jullie elke dag in atelier 1. Daar zijn elke dag een of meer juryleden om jullie een nieuwe opdracht te geven en te begeleiden.
Van twaalf tot half twee heb je pauze, dan kun je hier eten en weer naar je kamer of de tuin in. Je kunt ook altijd hier terecht. Dan werken we door tot half zes.

Na het avondeten kun je voor jezelf werken of naar deze ruimte komen.
Je krijgt elke dag een nieuwe opdracht, die de jury beoordeelt. Vrijdagmiddag om drie uur maakt de jury bekend wie de titel van Topontwerpster krijgt. Jullie ouders mogen bij de prijsuitreiking aanwezig zijn. Om vier uur sluiten we de modeweek af en gaat iedereen naar huis.
Als er iets is, kun je altijd bij mij terecht. Zijn er nog vragen?'
In gedachten zweefde Eline naar vrijdag. Kon ze maar eventjes vooruitkijken... Ze schudde haar hoofd. Nee, als je alles op voorhand wist, was het niet spannend meer.
Toen was het tijd om te gaan slapen. Een beetje giebelig liepen ze achter elkaar aan naar boven.
Ze deden wel lacherig, maar toch was de spanning voelbaar. Zo heel alleen, weg van thuis...
'Word je uit jezelf wakker?' vroeg Haley toen ze in bed stapte.
'Ik heb het alarm in mijn telefoon op kwart voor acht gezet', antwoordde Eline. 'Is dat goed?'
'Prima', geeuwde Haley. 'Welterusten.'
'Slaap lekker.' Eline knipte het schemerlampje uit en trok haar dekbed op tot aan haar kin. Met haar ogen dicht bleef ze liggen, maar de slaap kwam niet. Ze opende haar ogen. Door het gordijn scheen het licht van een straatlantaarn naar binnen. Dat maakte grillige schaduwen op het plafond. Eline keek ernaar en vandaar naar het gelukspoppetje naast haar bed. Ze dacht aan Yelien. En aan Ellen, Emma en Kato. Opeens miste ze haar vriendinnen

zo verschrikkelijk... In het donker pakte ze het gelukspoppetje vast, gaf het een kus en stopte het toen onder haar kussen.

Ze sliep tot het alarm van haar wekker ging. In de badkamer hoorde ze gespetter. Haley was blijkbaar al wakker. Even later kwam ze tevoorschijn, haar handdoek als een grote tulband om haar hoofd gewikkeld.
De regendouche was net zo zalig als die van papa, ontdekte Eline. Ze gebruikte het nieuwe reissetje van mama. Heerlijk geurend naar witte lotusbloem liep ze de trap af naar de eetkamer. Halverwege kreeg ze een sms'je van Yelien. *Hoestie?* wilde haar vriendin weten. Razendsnel tikte Eline het antwoord terug: *Ik ben helemaal Yin & Yang.* Dat zou Yelien vast wel begrijpen.
In de eetkamer wachtte een nieuwe verrassing: een uitgebreid ontbijtbuffet. Eline keek haar ogen uit. Dit begon een beetje op vakantie te lijken, zoals toen in Barcelona met papa. Er waren verschillende soorten pap, muesli, cruesli, yoghurt, kwark, allerhande broodjes en broodsoorten, croissantjes, kaas, allerlei soorten ham, hartig en zoet beleg, vers fruit, gekookte eitjes, roerei, gebakken eieren met spek, melk, karnemelk, vers geperst sinaasappelsap, thee... Er was

te veel om te kiezen en ook te veel om te onthouden voor in het dagboek. Snel pakte Eline haar telefoon en maakte een foto, net op het moment dat Haley een glas sap inschonk. Zij zag er weer schattig uit vandaag. Ze had een rokje aan met veel dunne laagjes stof over elkaar. De zachte leren enkellaarsjes kleurden er perfect bij, net als het sluike haar dat ook in laagjes viel. Haley zag er sprookjesachtig mooi uit, vond Eline.
'Weet jij wat je moet kiezen?' vroeg een meisje met glanzend blauwzwart haar.
Eline keek haar aan. 'Sorry, ik ben je naam vergeten.'
'Ik ben Layla.'
Eline sloeg haar hand voor haar mond. 'Hoe kon ik dat vergeten! Ik vond jouw naam zo bijzonder.'
Layla lachte. 'Weet je hoe ik aan mijn naam kom? Ik ben midden in de nacht geboren, daarom noemde mijn moeder me zo. Layla betekent in het Arabisch namelijk: geboren in de nacht.'
Eline schepte wat vers fruit in een schaaltje en schonk er yoghurt en honing over. 'Wel mooi, zo'n speciale betekenis. Ik ben ook 's nachts geboren, maar Eline betekent zoiets als: stralend, schitterend.'
Noa kwam naast haar staan. 'Als ik dit allemaal opeet passen mijn kleren niet meer aan het eind van de week.'
'De bedoeling is dat je kiest en niet dat je alles opeet', zei Britt een meisje met kort, blond haar.
'Ja, dat snap ik,' zuchtte Noa, 'maar er is zoveel lekkers...'
Tijdens het ontbijt dwaalden Elines gedachten weg. Zo meteen zou Jerry komen. Ze keek er nu al naar

uit. Intussen haalde ze nog een vers croissantje. Tot haar opluchting zag ze dat Haley met Alissia en Zoë naar de kloostertuin ging. Heerlijk, dan kreeg zijzelf de kans om ongestoord de wensbriefjes van haar vriendinnen te lezen.
Op de rand van haar bed pakte ze het spanen doosje en haalde er vier opgerolde briefjes uit, van elke kleur één. Het blauwe briefje was van Kato. Ze las:

Handjes en voetjes, kusjes en groetjes van Kato.

Het roze briefje was van Emma. Zij had geschreven:

Voor vandaag wens ik je een heel fijne dag.
Kusje van Emma.

Het groene briefje was van Ellen en had als boodschap:

Ik zal voor je duimen.

Als laatste las ze het gele briefje van Yelien. Zij had een soort puzzeltje gemaakt van hun namen.

Wat lief, dacht Eline. Ze rolde alle briefjes in elkaar en stopte ze terug in het doosje. Het gelukspoppetje zette ze erbovenop. Toen ging ze naar beneden.

Eline zat met de andere meisjes in een grote kring toen Jerry Glitz binnenkwam. 'Goeiemorgen allemaal. Hebben jullie goed geslapen?'
Het klonk zo schattig, Eline werd er helemaal warm van. Met grote, warme ogen volgde ze zijn bewegingen.
Zonder hun antwoord af te wachten vervolgde Jerry: 'Fijn, dan gaat het nu echt beginnen. Hier komt jullie eerste opdracht.' Hij liep een rondje in de kring en keek hen enthousiast aan. Toen dempte hij zijn stem. Iedereen hing aan zijn lippen terwijl hij zei: 'Stel je voor: er komt een bedrijf naar je toe met de vraag of jij een serie cadeautjes wilt ontwerpen voor meisjes van jouw leeftijd. Gadgets, zeggen ze in Amerika. Maar wij noemen het gewoon hebbedingetjes, kleine dingen die jij en je vriendinnen graag zouden hebben. Daar gaat de opdracht van vandaag over. Geef je fantasie de ruimte, denk goed na en overweeg alles wat mogelijk is. Pas dan stippel je jouw lijn uit.'
Er klonk geroezemoes, maar Jerry greep in. Hij keek de kring nog eens rond, zijn ogen bleven steken bij Eline. 'Jullie denken misschien: o, wat makkelijk! Maar dat is het niet. Je moet wel een serie bedenken die bij elkaar past. De producten moeten bij elkaar passen, maar de kleuren en motieven ook.'
Eline begon enthousiast te knikken, ze zag het helemaal zitten en popelde om aan de slag te gaan.

Jerry lachte en boog zich even naar haar toe. 'Jij hebt er wel zin in, geloof ik.' Zijn mooie, witte tanden kwamen dichtbij en ze zag de kleine lachrimpeltjes rondom zijn ogen. Hij was echt geweldig, dacht ze en ze lachte terug.
De deur ging open en Suzette kwam binnen. 'Voor jullie gaan ontwerpen, nemen we eerst een kijkje in de winkel. Daar trekken we een uur voor uit. Neem je blok mee, dan kun je aantekeningen maken van wat je belangrijk vindt.'
Druk kwetterend liepen ze het trapje naar het souterrain af. Suzette pakte haar sleutel. Met een grote zwaai gooide ze de deur open. Toen werd het stil. Hun hebberige ogen schoten van de kast naar de tafels. Eline slikte. O, wat was dit mooi! Ze zoog alles in zich op. Al die stoffen in alle kleuren van de regenboog, zoveel soorten kantjes en bandjes, kralen en knopen... Wat een paradijs! Ze kon haar ogen niet geloven. 'Mogen we zomaar gebruiken wat we willen?' vroeg ze aan Suzette.
'Dat is wel de bedoeling', antwoordde Suzette. 'Hier zie je wat we in huis hebben. Daar kun je rekening mee houden als je gaat ontwerpen.'
'En denk aan je doelgroep', zei Jerry. 'Wat was ook alweer jullie doelgroep?'
'Meisjes van onze leeftijd', klonk het uit tien monden. Jerry knikte.
Eline vond al snel haar lievelingskleur: blauwgroen, met een deftig woord turquoise genoemd. Maar er waren ook stoffen met vlinders of bloemen, waar die kleur ook in terugkwam. Dat was mooi om te

combineren. Er was niet alleen stof in haar kleur, maar er waren ook glanzende biesjes, leren veters, band met kleine bolletjes eraan... er was te veel om op te noemen. Helemaal blij liep ze langs de knopen naar de kralen. Ze keek haar ogen uit naar de grote, roomkleurige parels, de glitterende, glazen steentjes en de hele kleine kraaltjes in alle kleuren die je maar verzinnen kon. Toen ontdekte ze de zilverkleurige kralen. Ze waren bewerkt zodat het net leek of ze antiek waren. Aaaa, die kralen ging ze gebruiken. Eline wist het heel zeker. Ze wilde de kralen pakken, maar kon er niet goed bij. Britt stond ervoor. Eline probeerde het langs de andere kant. Precies op het laatste moment deed Britt een stapje opzij zodat Eline weer niet bij de kralen kon. 'Mag ik er even bij?' vroeg ze.
'Als ik klaar ben', zei Britt met kille stem.
Eline keek verbaasd, maar Britt draaide haar de rug toe. Geduldig wachtte Eline haar kans af, maar Britt was niet van plan om ook maar een centimeter te wijken. Ze deed alsof Eline niet bestond. Eline kuchte zachtjes, zo zou Britt haar misschien opmerken. Geïrriteerd keek Britt op. 'Blijf je daar nu net zo lang staan tot je weet wat ik ga maken?'
Geschrokken sloeg Eline een hand voor haar mond. 'Natuurlijk niet.' Ze liet haar schouders zakken en sjokte weg. Straks was er vast nog wel een nieuwe kans om naar die mooie kralen te kijken. Eén ding was zeker: nu de wedstrijd echt begon, was de sfeer veranderd. Ze waren elkaars concurrenten geworden. Overal waar ze liep, keerden meisjes haar de rug toe. Of ze draaiden snel hun aantekenboek om, alsof

zij kwam spioneren. Daar werd de sfeer niet beter van. Eline slaakte stilletjes een zucht. Was ze maar thuisgebleven. Meteen schrok ze van die gedachte. Foei, Eline! sprak ze zichzelf inwendig toe. Als je thuisgebleven was, had je deze kans nooit gekregen. Straks, na de lunch, zou ze lekker even de zon opzoeken.

Toen ze het lunchbuffet zag, kreeg ze opnieuw het gevoel dat ze in een luxehotel op vakantie was.
'Een driegangenlunch!' riep Liselotte uit. 'Dat krijgen wij thuis nooit.'
'Wij ook niet', verzuchtte Noa.
'Volgens mij krijgt niemand dat', zei Caro. 'We kunnen er dus maar beter van genieten zolang we hier zijn.'
Eline had een kop soep gehaald en ging naast Haley zitten. 'Hoe is het?'
Haley zette haar mes in een knapperig broodje en mompelde: 'Gaat wel. En met jou?'
Eline blies zacht over de dampende soep. 'Goed. Die winkel is tof! Vind je niet? Ik heb al zulke leuke spullen gezien, je doet daar echt goede ideeën op.'
Haley smeerde een lik boter op haar broodje. 'Weet jij dan al wat je gaat maken?'
Eline nam een slokje soep en knikte enthousiast. 'Ja, ik heb al een paar leuke schetsen in gedachten. Ik denk dat ik begin met...' Toen zag ze hoe Haley haar met open mond zat aan te kijken. 'Oeps! Bijna zou ik je vertellen wat ik van plan ben. En dat is natuurlijk de bedoeling niet.' Ze zag de teleurstelling in Haley's ogen. 'Anders is het geen wedstrijd meer', zei ze gauw.

Haley slaakte een diepe zucht. Eline hoorde het wel. Nu ben ik al net zo onaardig bezig als de rest, flitste het door haar hoofd. 'Het is wel een wedstrijd', troostte ze Haley. 'Gelukkig is er ook nog tijd om samen iets te doen. Ga je dadelijk mee naar buiten?'
Toen Eline het terras opliep, piepte haar gsm. Er was een berichtje van Yelien. *Hoest met de liefde? Veel romantiek met Jerry?* las Eline. Ze gaf meteen antwoord. *Jerry is super!*
Nog geen minuut later werd ze gebeld. 'Yelien!' Snel keek Eline om zich heen, tot ze een stil plekje vond aan de andere kant van het terras. 'Wat fijn dat je belt! Het lijkt of ik in geen eeuwen je stem heb gehoord.'
'Is alles goed?' Yelien klonk ernstig.
'Is er iets?' vroeg Eline. 'Je klinkt zo serieus.'
'Neuh....' deed Yelien luchtig. 'Vertel eens over Jerry.'
'Ik weet niet eens waar ik beginnen moet', lachte Eline. 'Jerry is lief, hij is knap, hij draagt leuke kleren, hij...' Ze zocht naar woorden.
'Hij is volmaakt', constateerde Yelien.
'Zo lijkt het wel', lachte Eline.
Yelien slaakte een zucht.
'Wat zucht je toch?' merkte Eline. 'Dat klinkt als een boel geraas in mijn oor.'
'Ik maakte me een beetje zorgen om jou', gaf Yelien toe. 'Ik zag toevallig vanmorgen een tijdschrift in het rek bij de boekwinkel. Op de voorkant stond een foto van Jerry Glitz met zijn nieuwe vriend. Ik vroeg me af of jij dat blad soms ook gezien had. Dat lijkt me namelijk best erg als je zo verliefd bent.'
Even was Eline met stomheid geslagen. Heel even

maar. Toen barstte ze los. 'Dat was natuurlijk weer zo'n stom roddelblad! Je gelooft toch zeker niet wat daarin staat?'
Het bleef stil aan de andere kant van de lijn.
'Yelien!' schrok Eline. 'Ben je daar nog?'
'Ik ben er nog.' Yelien klonk een beetje mat. 'Vergeet maar wat ik gezegd heb. Ik belde alleen maar omdat ik me zorgen maakte om jou. Snap je?'
'Ach, wat lief van je', zuchtte Eline. 'O, ik mis jullie zo. Ik weet niet of ik het hier wel volhoud zonder jullie.'
'Natuurlijk wel', zei Yelien vastbesloten. 'Weet je trouwens dat Jerry Glitz zijn artiestennaam is?'
'O ja?' Daar had Eline zich niet eerder in verdiept.
'Weet je hoe hij in het echt heet?' vroeg Yelien. 'Geert Greve.'
'Geert Greve.' Eline liet langzaam de letters over haar lippen glippen. 'Grappig. Dat wist ik niet.' Vanuit haar ooghoeken zag ze Haley het terras oplopen en zoekend om zich heen kijken. 'Yelien, ik moet ophangen. Haley zoekt me, ze komt eraan.'
'Ga maar gauw', zei Yelien. 'Maak er wat moois van. Luf u.'
'Miss u. Tot gauw.'
Haley had haar gevonden. 'Ga je mee een rondje lopen in de tuin?'
Ze liepen naar het pad. Het werd omzoomd door bomen die een groen dak boven hun hoofden vormden. Zelfs als het regende werd je hier niet nat, dacht Eline.
'Heb je al een idee wat je gaat maken?' vroeg ze aan Haley.

Haley schudde haar hoofd. Haar fijne krullen schudden mee. 'Ik heb zoveel ideeën dat ik het echt niet meer weet. En jij?'
'Ik weet het', antwoordde Eline. Het gaf haar een heerlijk gevoel. Maar dat kwam natuurlijk ook omdat Yelien had gebeld. Natuurlijk geloofde Yelien ook niet wat er in die roddelblaadjes stond. Hoe had ze dat kunnen denken?
Ze volgden de bocht die het pad maakte.
'Zijn dat Zoë, Yasmine en Alissia niet?' wees Eline.
Haley volgde de wijsvinger van Eline. 'Je hebt gelijk. Kom, als we iets sneller lopen, halen we ze in.'

11

Jerry Glitz zag ze na de lunchpauze niet meer terug, ontdekte Eline. Of moest ze Geert Greve zeggen? Hoe zou hij reageren als ze dat zei?
Nee, dat zou ze niet doen, besloot ze. Hij was hier niet als Geert Greve, maar als de beroemde ontwerper van sieraden: Jerry Glitz. In zijn plaats kwam Vivian V hen van goede raad voorzien.
Waar zou die V voor staan? vroeg Eline zich af. Voor Vivian Visser? Vivian Vermeer? Of zou het voor een tweede voornaam staan: Vivian Veronica? Vivian Valentina? Ze zou het eens vragen. Als ze eraan dacht. Zou ze zelf haar naam veranderen als ze later een beroemd ontwerpster was? Ze twijfelde. Als je een moeilijke naam had, moest je wel, anders konden de mensen je niet onthouden. Zo moeilijk was haar naam niet. Papa was toch ook heel succesvol, maar hij werkte gewoon onder zijn eigen naam. Bij interieurontwerpers paste dat misschien meer dan bij modeontwerpers. Ze dacht aan het cadeautje van haar vriendinnen, de labels met Missy. Zou zij zich later Missy noemen? Ze verwachtte het niet.

Misschien zou ze haar collectie zo noemen, zelf hield ze liever haar eigen naam. Of, wacht eens, dat voorstel van Kato was zo gek nog niet. Ze kon zichzelf natuurlijk Miss E gaan noemen, later als ze beroemd was. Dat klonk hetzelfde als Missy. En de E was natuurlijk van Eline.
Ze luisterde naar Vivian V die nog eens uitlegde waar ze allemaal op moesten letten als ze een serie gingen ontwerpen. Daarna mochten ze zelf aan de slag. Maar intussen leerde je een heleboel, ook al zou je de finale niet winnen.
Wat een zalige opdracht hadden ze vandaag, dacht Eline. Een serie kleine cadeautjes voor je vriendinnen bedenken was toch echt leuk? Ze had haar lijn al een beetje uitgestippeld na haar bezoek aan de winkel. Terwijl de andere deelneemsters aan het begin van de middag naar het atelier of de tekentafels vertrokken, glipte Eline weg naar het winkeltje. Ze wilde eerst zeker weten of alles wat ze nodig had er ook was. Vanmorgen ging dat wat lastig. Nu was het stil, alleen Zoë was op hetzelfde idee gekomen. Zij zocht verderop tussen de stoffen, terwijl Eline aan de andere kant moest zijn. Bij de kralen, kettinkjes en bandjes. Ze nam maar meteen alles mee wat ze nodig had, straks stond het hier misschien weer vol en kon ze nergens bij. Het was veel, maar Vivian V had gezegd dat ze alles mocht pakken wat ze nodig had. Er lagen bruine papieren zakken in de winkel, zo zag niemand wat erin zat. En bij de uitgang stonden kartonnen bakjes. Dat was nog eens handig, nu kon ze alles wat ze voor deze opdracht nodig had

bij elkaar houden. Ze zou er een mooie collage van maken, net zoals ze thuis deed. Maar nu ging ze eerst haar ontwerpen op papier zetten.
Er was nog een afgeschermde tekentafel vrij. Eline zette haar bakje onder het werkblad en haalde haar tekenblok en potloden tevoorschijn.

De nieuwe Missy-lijn voor BFFs,

schreef ze boven aan het lege blad. Er verscheen een glimlach op haar gezicht. Ze wist precies waarmee ze haar vriendinnen kon verrassen. Het was iets waar alle meisjes blij mee waren. Ze schetste een sleutelhanger, een schooletui, een portemonnee en een agenda. Eerst twijfelde ze nog of ze er geen armband, halsketting en oorbelletjes bij moest doen. Maar ze hadden in de voorrondes al een set sieraden moeten ontwerpen. Daarom dacht ze dat het beter was deze keer iets anders te laten zien. Voor ze de schetsen verder uitwerkte, haalde ze het bakje tevoorschijn. Ze moest even spieken hoe die zilveren kralen er precies uitzagen. Daarna kon ze weer verder. Ze werd steeds enthousiaster. Toen het etenstijd was, had ze de sleutelhanger al gemaakt. Voorzichtig liet ze haar ontwerp in een van de papieren zakjes glijden. Op haar kamer keek ze aarzelend om zich heen. Waar zou ze de bak neerzetten? Op het nachtkastje? Nee, zo zou Haley misschien in de verleiding komen om te kijken. Ze schoof de bak onder haar bed, precies onder haar hoofdeinde. Geen mens die het zag.

In de eetzaal stond een lange tafel vol met allerlei gerechten, zowel warm als koud. Het zag er feestelijk uit. Eline kon niet kiezen, ze besloot van alles een klein beetje te nemen.
Terwijl ze met haar bord in de rij stond te wachten, zag ze Frou-Frou binnen komen. Even later kwamen Jerry en Leo Leoni ook. Samen met Vivian V aten ze een hapje mee.
'Hoe is het gegaan vandaag?' vroeg Vivian V na het eten.
Iemand geeuwde luid en duidelijk. Er werd om gelachen.
'Zijn jullie moe?' vroeg Vivian V.
Er klonk instemmend gemompel. Eline voelde nu pas hoe moe ze was. De hele dag was ze intensief bezig geweest met haar ontwerpen. Bovendien had ze zoveel nieuwe indrukken opgedaan. Ze voelde zich als een spons die alles in zich opzoog.
'De eerste dag is het meest vermoeiend', zei Vivian V. 'Dan is alles nog nieuw. Maar...' ze boog zich naar voren en keek de kring rond. 'Jullie krijgen zo meteen het schema voor de rest van de week. Dan kun je zelf je tijd een beetje verdelen over de verschillende opdrachten. Frou-Frou, jij kunt vertellen wat er morgen op het programma staat.'
Frou-Frou trok haar stoel naar voren. Ze had heel bijzondere schoenen aan met veel banden en veters. Zelf ontworpen, natuurlijk. Eline werd helemaal blij bij het zien van de schoenen. Er zaten kleuren en kralen in die zij vandaag ook gebruikt had. Dat was een goed teken. Of niet?

Frou-Frou haalde een stapel T-shirts uit een plastic tas. 'Hebben jullie allemaal een rokje van thuis meegebracht?'
Er werd geknikt en instemmend gemompeld.
'Dat is fijn', zei Frou-Frou. 'Dan krijgen jullie nu allemaal een simpel wit shirt. Geef ze maar door aan elkaar. De opdracht voor morgen is: maak van de rok en het T-shirt een outfit waarmee je naar school kunt gaan. Laat je fantasie de vrije loop en maak gebruik van alles wat de winkel biedt. Morgenavond moet de opdracht klaar zijn. Leo, wat staat er voor woensdag op het programma?'
Terwijl Vivian V ging zitten, stond Leo Leoni op. 'Woensdag hebben we een mooi thema, vind ik. Creëer je eigen sfeer, dat is het motto van woensdag.'
Eline trok haar wenkbrauwen op. Wat bedoelde hij? Hulpzoekend keek ze naar Haley en Layla die naast haar zaten. Maar zij keken haar allebei vragend aan.
'Ik zie vragende gezichten', ging Leo verder. 'Misschien moet ik iets meer over de opdracht vertellen. Sfeer is voor iedereen anders. De een steekt kaarsjes aan om sfeer te creëren, de ander bakt een appeltaart of zet een boeket bloemen neer. Maar hoe maak jij als ontwerper een bepaalde sfeer? Welke onderwerpen, stoffen en kleuren heb jij daarvoor nodig? Dat willen wij graag zien op woensdagavond. Jerry, wat kun jij vertellen over donderdag?'
Eline kreeg als vanzelf een glimlach om haar mond toen Jerry in hun kring sprong. Je kon echt merken dat hij jonger was dan de andere juryleden. Hij was sneller en hipper. En ook liever, dacht ze erbij.

'Kennen jullie de Beach Boys?' vroeg Jerry.
Eline stak haar vinger op. Ze schrok er zelf van. Jeetje, ze zat hier niet op school. Wat kinderachtig van haar. Maar Jerry vond haar niet kinderachtig. In een paar stappen stond hij voor haar. 'Ken jij de Beach Boys?' Zijn stem klonk verbaasd.
Eline voelde dat ze een rood hoofd kreeg. 'Mijn vader draait muziek van de Beach Boys.'
'Mijn ouders ook', knikte Jerry. 'Voor wie de muziek niet kent, zal ik nu een nummer laten horen. Het is een van hun bekenste nummers: "Good Vibrations". Luister maar.'
Eline kende het nummer. Ze luisterde naar de boys met hun hoge stemmen. Toen het liedje afgelopen was, zei Jerry: 'De Beach Boys, hun naam zegt het al, zingen vaak over surfen, over strand en zee. Misschien kunnen ze jou inspireren, want het thema voor donderdag is: Beach Babe. Maak je favoriete strandcreatie en laat die aan ons zien op de poppen hier. Het is niet de bedoeling dat je een bikini of badpak ontwerpt, maar iets speciaals voor daarover. Dat kan sportief zijn, maar ook romantisch of praktisch. Ik laat de muziek hier, zodat jullie ernaar kunnen luisteren als je dat wilt. Is de opdracht duidelijk?'
Noa stak haar vinger op en trok die gauw weer terug, zag Eline.
'Wil jij nog iets vragen?' zei jerry.
Noa knikte. 'Is het de bedoeling dat we strandkleding ontwerpen of sportkleding?'
'Strandkleding', zei Jerry. 'Alles wat je op het strand

kunt dragen. Maar denk er wel om: op het strand kun je veel doen. Je kunt strandvolleybal spelen, de barbecue aansteken of lekker loungen in de strandtent. Ben ik duidelijk?'
Noa knikte opgelucht.
Jerry keek over zijn schouder naar de andere juryleden. 'Zal ik verdergaan met vrijdag?' Hij wachtte hun antwoorden af en ging door. 'Aan het einde van elke modeshow volgt er altijd een trouwjapon, een bruid in witte wolken van tule en kant.'
'Aaaah!' De meisjes slaakten een bewonderende zucht.
'Dat doen wij dus niet', zei Jerry onverwacht.
'Oooo!' klonk het teleurgesteld.
'Wij hebben iets leukers bedacht', zei Jerry. 'Zo'n bruidsjurk heb je voorlopig nog niet nodig. Daarom is de opdracht: ontwerp voor jezelf een galajurk voor je droomfeest, misschien wel voor je schoolfeest.'
Opeens begon iedereen door elkaar te praten. Een galajurk, dat zagen ze wel zitten. Elines gedachten dwarrelden al weg naar het droomfeest. Ze wilde iets heel speciaals van haar galajurk maken. Gelukkig had ze nog tijd om daarover na te denken. Het was wel fijn dat ze wist wat er deze week van haar verwacht werd. Dan kon ze daar naartoe werken. Ze vond het een hele geruststelling.
'Vivian, wil jij nog iets zeggen over de jurering?' vroeg Jerry.
Vivian kwam naast hem staan. 'Elke avond willen wij graag jullie ontwerp van die dag zien. De jury kijkt naar originaliteit en bruikbaarheid. Wij geven

ook punten. Je kunt elke dag maximaal tien punten krijgen en minimaal één punt. Dat wil niet zeggen dat wij elke dag een tien geven. Of een één. Als jullie allemaal iets middelmatigs bedenken, krijgt iedereen een zesje. Zo meteen mogen jullie de opdracht van vandaag bij ons inleveren. Wij zullen ernaar kijken. Intussen haalt Suzette jullie op om naar een film te kijken over een zeer beroemde modeontwerpster: Coco Chanel. Na de film horen jullie de uitslag.'

Die avond, toen Haley zachte pufgeluidjes maakte in haar slaap, glipte Eline stilletjes haar bed uit. Geluidloos ritste ze haar koffer open en haalde haar dagboek tevoorschijn. Ze glipte stilletjes de badkamer in, klapte de deksel van de wc naar beneden en ging zitten. Ze begon meteen te schrijven.

Hi girlz,

Vanuit mijn super-de-luxe kamer met badkamer moet ik jullie snel vertellen wat er zoal gebeurd is. Ik ga niet alles opschrijven, anders zit ik hier morgen nog. Jerry is echt een schat. Ik heb het flink te pakken voor hem. Vraag maar aan Gelien, zij belde vanmiddag.

Wat ik wel wil zeggen: ik heb zoiets leuks bedacht vandaag. Een kleine cadeaulijn voor

vriendinnen. Daar kreeg ik van de jury een 7 voor.. Eigenlijk is een 10 het hoogste dat je kunt krijgen, maar niemand had een 10. Twee andere meisjes kregen een 8: Liselotte en Layla. Haley kreeg maar een 4. Jerry en Vivian V bleven nog aardig, maar Leo Leoni boorde haar werk helemaal de grond in. Wat was hij streng... Ik hoop niet dat hij tegen mij ook zo doet, ik geloof niet dat ik daar tegen kan. Haley was de enige met een onvoldoende. Raar eigenlijk, bij de voorrondes kreeg zij zoveel lof..
Ik dacht bij mezelf: wat zouden wij leuke cadeautjes vinden voor ons clubje? Ja, een armband, oorbellen en zo, maar dat hadden we bij een eerdere opdracht al gemaakt. Daarom dacht ik aan een agenda, een schooletui, een portemonnee, en een sleutelhanger. Daar heb ik een heel leuk ontwerp voor gemaakt. De sleutelhanger heb ik ook echt gemaakt en die is zo leuk geworden... En weet je wat nog leuker is? Ik kan hem in alle kleuren maken. Dus: als ik tijd heb, maak ik voor iedereen een sleutelhanger in je lievelingskleur. Mijn sleutelhanger heb ik in turquoise tinten gemaakt, met zilveren en blauwgroene kralen. Het is echt mooi geworden.

En er zit een voordeel aan. Zo'n opvallende sleutelhanger raak je niet gauw kwijt en vind je makkelijk terug in een volle tas. Misschien dat ik mijn moeder nog ga verrassen met zo'n sleutelhanger. Zij moet altijd haar hele tas leeg gooien voor ze eindelijk haar sleutel heeft gevonden.

Ik zit nu een beetje te bibberen hier in mijn pyjama op de wc-bril. Brrr, ik heb het koud en kruip lekker in mijn warme bed. Jullie gelukspoppetje ligt al op me te wachten. Bedankt voor jullie lieve briefjes. Ik verheug me al op morgen, dan mag ik weer vier nieuwe openmaken. Zo zijn jullie toch nog een beetje bij mij.
Luf u 4 ever,

Eline

12

Met een leeg bord in haar hand stond Eline bij het ontbijtbuffet. Noa kwam naast haar staan. Ze pakte een zacht broodje en een cracker. Toen keek ze naar het lege bord van Eline. 'Neem jij niets?'
'Jawel, maar ik kan niet kiezen', zuchtte Eline. 'Er is zoveel...'
'Dan neem je van alles wat', adviseerde Noa. 'Dat mag, hoor'.
'Van alles wat?' schrok Layla. 'Dat is echt niet gezond.'
'Het was maar een grapje', zei Noa.
'Wat is een grapje?' vroeg Haley. Het werd druk bij de manden met broodjes.
Het gezicht van Noa vertrok. Haar ogen werden hard toen ze zei: 'Katelijne belde me gisteravond. Ze heeft me verteld wat er is gebeurd.'
Met een ruk draaide Haley zich om en liep weg.
'En dat was geen grapje!' riep Noa haar na.
Eline fronste haar wenkbrauwen. Haley was weggelopen zonder een broodje te pakken. Kwam dat door wat Noa zei?

‘Is er iets?’ vroeg ze aan Noa.
Maar Noa was al doorgelopen naar de eettafel. Eline schudde haar hoofd. Kenden Noa en Haley elkaar soms al? Ze begreep het niet goed. ‘Ik geloof niet dat ik een ochtendtype ben’, mompelde ze tegen zichzelf omdat er niemand meer was. Ze nam een gekookt eitje, een broodje en een plakje kaas. En tot slot een mok thee. Met het bord in haar ene en de mok in haar andere hand ging ze op zoek naar een plaats. Eigenlijk ging ze op zoek naar Haley. Maar Haley was er niet en dat was raar. Misschien kwam ze zo wel weer. Of zou er toch iets aan de hand zijn?
‘Joehoe!’ zwaaide Liselotte. Ze wees naar de lege stoel naast haar. Eline ging zitten.
‘Weet jij al wat je gaat maken vandaag?’ vroeg Liselotte.
Eline probeerde haar ei een kopje kleiner te maken. ‘Ik weet het nog niet precies. Ik denk dat ik eerst maar eens in de winkel ga kijken. En jij? Weet jij het al?’
Liselotte veegde een paar kruimels van haar bloes. ‘Ik heb wel een plan. Maar ik weet nog niet of ik de juiste spullen daarvoor kan vinden.’
‘Daarom doe ik het andersom’, zei Eline. ‘Ik ga eerst naar de winkel. Ik heb er echt zin in vandaag.’
Liselotte ook. Dat liet ze weten met een brede glimlach.
Na een bezoek aan de winkel wist Eline precies wat ze ging maken. Ze had een lapje witte stof met roze hartjes meegenomen en een lapje roze stof met witte hartjes. Op het laatste moment ontdekte ze zelfs

nog een stukje roze stof met witte kruisjes. Hartjes en kusjes, pasten die niet perfect bij elkaar? Ook aan biesjes, bandjes en kantjes was er geen gebrek. Al gauw had ze haar kartonnen bakje gevuld met papieren zakjes. Ze had zo'n zin in deze opdracht. Aan de ene kant omdat ze precies wist wat ze wilde maken. Aan de andere kant omdat ze alvast aan een andere opdracht kon beginnen als ze klaar was.
In een rustig hoekje wist ze een werktafel te bemachtigen. Ze legde het witte shirt plat op tafel. De lap met kruisjes legde ze erop. Met een dichtgeknepen oog keek ze ernaar. De lap was te groot. Ze wilde er een roze hart uitknippen en dat op de achterkant van het shirt stikken. Maar het hart moest iets kleiner worden, vond ze, en ze pakte haar meetlint. Een hart van twintig centimeter was groot genoeg. Ze tekende een hart van de juiste grootte op papier en knipte het uit. Voor de zekerheid legde ze het nog even op het shirt. Deze maat was perfect.
Ze spelde het papieren hart op de stof en knipte het langs de rand uit. Met een paar knopspelden stak ze het hart op het shirt. Ze knikte. Het was precies zoals ze het in gedachten had. Eigenlijk moest ze het vastzetten met een siersteekje. Maar dat duurde te lang. Textiellijm werkte sneller, maar dat was weer niet zo mooi.
'Wat sta je te dubben', vroeg Vivian V. Zonder dat Eline het gemerkt had, was ze naast haar komen staan.
Eline wees naar het hart. 'Ik vroeg me af of ik het met een steekje vast zou zetten.'

'Met de naaimachine kun je er een mooi randje omheen maken', zei Vivian. 'Wil je dat?'
Eline knikte.
'Kom maar mee. En neem je shirt mee', zei Vivian.
Eline zocht passend roze garen uit en Vivian leidde het met snelle vingers langs de machine. Met het puntje van de tong uit haar mond trapte Eline het pedaal in. Voorzichtig stuurde ze de stof onder het voetje door.
'Lukt het zo?' vroeg Vivian.
Eline was te druk bezig om antwoord te geven. Enthousiast bekeek ze haar shirt met zigzaghart. Dit was mooi. En snel. Zo ging ze de rest ook doen, maar dan mocht ze die naaimachine niet uit het oog verliezen. Voor je het wist was de machine bezet en zat er zwart garen in.
Ze keek even in de papieren zakjes. Eerst de witte bandjes en kantjes maar, dacht ze. Dan was de rok klaar. Ze pakte het witte band met de roze hartjes en legde die langs de zoom van de rok. Zou ze genoeg hebben meegebracht? Ja, ze hield zelfs nog een stukje over. Opnieuw ging ze achter de naaimachine zitten. Oeps! Die maakte nog van die zigzagsteken. Hoe kreeg ze gewone steken? Ze keek naar de grote draaiknoppen.
'Lukt het?' klonk de stem van Jerry achter haar.
Eline bloosde en haalde haar schouders op. 'Ik weet niet hoe ik de zigzag uit moet zetten.'
'Gelukkig weet ik dat wel', zei Jerry. 'Kijk maar, dan kun je het zelf ook.' Hij boog zich over haar heen en draaide aan de knoppen. 'En als je weer wilt

zigzaggen doe je het precies andersom.
Weet je het nu?'
Eline knikte. Jerry rook zo lekker. Haar hart klopte steeds een tikkeltje sneller als ze hem zag. Hij was ook zo lief. En hij was al weer weg, zag ze. Hij stond iets verderop bij Haley aan tafel. Zie je wel, Haley was er gewoon weer. Er was niets aan de hand.
Eline naaide de band met hartjes aan de onderkant van haar rok.
Ze knipte witte hartjes van kant uit en legde die losjes op haar roze rokje. Met een paar steekjes zette ze die vast. Dat zag er meteen zo romantisch uit... Het leek wel of ze een nieuwe rok had gemaakt. Ze zette twee stappen achteruit en bekeek het resultaat. Op dat moment kwam Jerry weer voorbij. Hij ging naast haar staan en keek met haar mee. 'Je zou bijna denken dat jij verliefd bent', zei hij.
Help! dacht Eline. Ze voelde de vlammen uit haar hoofd slaan.
'Als ik jouw kleur zie weet ik het wel zeker', plaagde Jerry.
Eline sloeg haar ogen neer. Ach, Jerry, jij weet echt van niets, dacht ze. Ze staarde hem na. Hij leek onbereikbaar voor haar, ze kon beter weer aan het werk gaan. Dat leverde haar misschien weer een paar mooie punten op. Terwijl ze zich omdraaide, viel haar oog op de paspoppen. Ze zagen er een beetje spookachtig uit onder de witte lakens. Zo'n paspop kon ze wel gebruiken. Haar rokje kwam veel beter uit op zo'n pop, dan liggend op de tafel. Zou zo'n paspop zwaar zijn? Welnee, er zaten wieltjes onder. Zachtjes

rolde ze er een naar haar werkhoek. Ze vouwde het witte laken op dat over de pop hing. Even later stond er een blote pop met een roze hartjesrok aan. Eline keek er kritisch naar. Mmm, dit was wel erg kaal. Snel verder met het shirt, want dat had alleen nog maar een hart met kruisjes op de rug. Ze pakte de roze bandjes met de witte hartjes. Die stikte ze onderaan de mouwtjes, twee rijen naast elkaar met een strik erop. Dat vond ze zo speels. Hopelijk vond de jury dat ook. Ze keek even om zich heen. Jerry en Vivian stonden nu allebei gebogen over de werktafel van Haley. Over gebrek aan belangstelling had zij niet te klagen. Zou er toch iets zijn? Misschien was Haley wel iets speciaals aan het maken. Eigenlijk zou Eline wel willen kijken, maar ze moest verder. Ze wilde nog wat roze hartjes over het shirt uitstrooien, net zoals ze bij de rok gedaan had.
Onder het knippen kreeg ze nog een goed idee. Boven stonden haar roze gympen. Van de roze bandjes die ze over had, kon ze veters maken. En achter op de hiel zou ze een hartje lijmen. Dan was haar outfit helemaal compleet.
Ze was verbaasd toen ze geroepen werd voor het eten. Nu al? De tijd was voorbijgevlogen. Haar hoofd voelde warm aan. Dat was natuurlijk van de inspanning. Eigenlijk had ze geen zin in eten, ze bleef veel liever doorwerken. Jammer... Misschien mocht ze meteen na het eten weer doorgaan en hoefde ze niet te wachten tot het half twee was.
Ze sloeg het laken om de paspop heen. Precies op dat moment kwam Liselotte voorbij.

‘Ach, ik ben net te laat’, lachte Liselotte. ‘Mag ik het zien of is het nog geheim?’
‘Jij mag het wel zien’, zei Eline. ‘Maar het is nog niet klaar.’
‘Volgens mij is er nog niemand klaar’, zei Liselotte. ‘Dat kan toch ook niet? We kunnen niet toveren. Laat eens zien wat jij gemaakt hebt.’
Eline trok het laken opzij. ‘Kijk, dit is de rok. Het shirt is nog niet klaar, dat heb ik in mijn bakje gestopt. Denk je dat ik dat hier kan laten staan?’
Suzette had haar vraag gehoord. ‘De deuren gaan tijdens de lunch op slot. Je kunt alles laten staan.’
‘Dat is handig.’ Eline keek Liselotte aan. ‘Lukt het bij jou?’
‘Volgens mij gaat het wel goed’, knikte Liselotte. ‘Het wordt totaal anders dan wat ik net bij jou zag. Ik heb gekozen voor aardse tinten. Een beetje zandkleurig met roodbruin. Ik ben benieuwd naar wat de anderen maken.’
Eline zag Suzette met de sleutel bij de deur staan wachten. ‘Kom, we moeten eten.’
Haley was opvallend stil tijdens de lunch. Ze zat een beetje in elkaar gedoken boven haar bord en at met muizenhapjes.
Eline kreeg medelijden toen ze haar zo zag zitten. ‘Is er iets? Je wordt toch niet ziek?’
Langzaam schudde Haley haar hoofd. ‘Het lukt niet. Het lukt gewoon niet vandaag.’ Ze zei het zonder Eline aan te kijken. Haar ogen staarden in de verte.
Eline klopte zacht op Haley’s hand. ‘Vanmiddag gaat het vast beter’, troostte ze. Maar toen ze het

gezicht van Haley zag, twijfelde ze. Zelf was ze het liefst meteen na de lunch weer het atelier ingedoken. Ze had er zo'n zin in. Ze raakte er steeds meer van overtuigd dat modeontwerpster echt iets voor haar was. Het tekenen en het zoeken naar geschikte materialen vond ze zalig om te doen. Vooral hier in De Rozenkrans waar alles binnen handbereik lag. Maar de ateliers zaten op slot en gingen pas om half twee weer open.
'Kom mee!' Liselotte trok haar achter zich aan naar buiten. 'We gaan lekker even een paar zonnestraaltjes verzamelen voor we weer beginnen.'
'Zullen we Haley meenemen?' vroeg Eline nog.
Ze keken zoekend rond.
'Haley is er niet', zei Liselotte.
'Misschien is ze al buiten.'
'Weet jij of Noa en Haley elkaar kennen?' vroeg Eline.
Liselotte haalde haar schouders op. 'Ik weet het niet, maar het zou best kunnen. Ze komen allebei uit dezelfde stad.'
'Hoe weet jij dat?' vroeg Eline.
'Dat hebben ze zelf gezegd, toen we ons moesten voorstellen', zei Liselotte.
Eline zette grote ogen op. 'Heb jij onthouden wat iedereen toen zei?'
Lachend schudde Liselotte haar hoofd. 'Nee, zeg... Maar het viel me wel op dat die twee uit dezelfde stad kwamen. Waarom wil je dat weten?'
Eline haalde haar schouders op. 'Ik dacht al dat ze elkaar kenden.'
Ze staken het terras over op weg naar het pad met

de kastanjes. 'Zeg maar dag tegen de zonnestralen', zwaaide Eline toen ze onder het groene bladerdak liepen. Maar Liselotte draaide zich aarzelend om en keek naar het zonnige terras. Eline volgde haar blik. 'Kom mee, dan gaan we lekker in de zon zitten.'
Het half uur vloog voorbij. Dat kwam, dacht Eline, omdat Liselotte zo leuk was. Ze had geen broertjes en zusjes en net als bij Eline waren ook haar ouders gescheiden. Langzamerhand ontdekten ze dat ze dezelfde dingen leuk vonden.
'We lijken op elkaar', lachte Eline. 'Als we niet zo ver uit elkaar woonden, hadden we zusjes kunnen zijn.'
Liselotte knikte. 'Of hartsvriendinnen.'
Nee, dacht Eline, geen hartsvriendinnen. Ik heb al vier fantastische vriendinnen. Maar zusjes heb ik niet. 'Het lijkt me zo leuk om een zusje te hebben.'
'Mij ook', knikte Liselotte. 'Zal ik vragen of mijn ouders jou willen adopteren?'
Eline giechelde. 'Ik kan natuurlijk ook vragen of mijn ouders jou willen adopteren. Maar dat wordt dan wel ingewikkeld. Want ik woon de ene week bij papa en de andere bij mama.'
Liselotte giechelde nog harder. 'Ik ook. Dan moeten we zeker de ene week bij jouw mama en de andere week bij mijn mama wonen. Daarna een week bij jouw papa en dan bij de mijne. Help! Dat wil ik niet.'
'Ik ook niet', vond Eline.
En voor ze het wist was het half twee.
'Succes!' zei Eline toen ze het atelier binnenliepen.
Als antwoord stak Liselotte haar duim omhoog.
Supergeconcentreerd ging Eline met haar shirt verder.

Al gauw was de paspop aangekleed. Ze knoopte de nieuwe veters van de gympen aan elkaar en hing ze over een schouder van de pop. Kritisch keek ze naar het geheel. Van de laatste sliertjes stof maakte ze een toefje dat ze met een veiligheidsspeld op het shirt stak. Ze knikte. Nu was het af. Tevreden gooide ze het laken over de pop. Het mocht nog best even een verrassing blijven.
Zachtjes wreef ze over haar buik. Het leek wel of dat zeurende gevoel in haar maag langzaam naar beneden zakte naar haar buik. Vreemd was dat.
Ze wist ook niet hoe het kwam. En tijd om er meer aandacht aan te besteden nam ze niet, want ze wilde naar de winkel om zich voor te bereiden op de volgende opdracht.
Op een holletje kwam Caro achter haar aan.
'Ga jij ook naar de winkel?'
Eline knikte en wachtte even.
'Zullen we eerst snel even wat drinken?' vroeg Caro. 'Van al die stofjes krijg ik zo'n droge mond.'
Dat was zo'n gek idee nog niet, dacht Eline. Misschien dronk ze niet genoeg en had ze daarom last van haar buik. Ze dronken allebei een glas ijsthee. Daarna daalden ze de trap af naar de kelder. Eline had haar aantekenblok meegenomen. Dat was maar goed ook, want ze kreeg het ene idee na het andere. Toen ze eindelijk weer om zich heen keek, was Caro verdwenen. Boordevol ideeën trok Eline zich terug in een hoekje bij het raam. Ze begon te schetsen. Soms stopte ze even en tikte zacht met haar potlood tegen haar lippen. Of ze keek met

starende blik naar buiten. Daar sprong een haasje over het gazon, maar ze zag het niet. In haar hoofd was ze al helemaal een Beach Babe aan het worden. Ze had zulke mooie stoffen gezien... Daardoor zag ze het ontwerp vanzelf voor zich. Ook al wist ze dat het pas donderdag klaar moest zijn, ze wilde nu haar ideeën op papier zetten. Ze was bang dat ze ze anders vergat. Daarna kon ze rustig aan de opdracht van morgen beginnen. Ze had alle tijd.

's Avonds boog de jury zich over hun creaties. Vol spanning wachtte Eline tot zij aan de beurt was.
'Eline,' begon Jerry, 'ik ben trots op jou. Jij hebt bij dit ontwerp voor twee kleuren gekozen en dat heb je volgehouden tot in de kleinste details. En dat is nu juist een van de onderdelen van ontwerpen. Heel knap gedaan. Alleen daarom al verdien je wat mij betreft een tien! Zijn de andere juryleden het met mij eens?'
Een tien? Eline kon haar geluk niet op. Het liefst zou ze Jerry een kushandje sturen.
'Een tien?' riep Leo Lenoni.
Eline schrok van de felheid in zijn stem.
'Een tien?' Leo Leoni sprong op. 'Dat is wel erg vorstelijk beloond. Eline heeft oog voor detail, daar heb je gelijk in. Maar je gaat me toch niet vertellen dat haar kleurkeuze verrassend is? Roze met wit... dat is zo mierzoet. Daar hoef je toch niet mee aan te komen voor deze leeftijdsgroep? Dan denk ik eerder aan meisjes van zes. Die maak je misschien nog blij met zo'n setje.'

Eline zat doodstil op haar stoel. Ze voelde de vlammen uit haar hoofd slaan. Dat had niets met Jerry maar alles met Leo Leoni te maken. Hij kon toch ook op een normale manier zeggen dat hij iets niet goed vond?
'Een tien?' vervolgde Leo Leoni. 'Maak er maar een zes van.'
'Een zes?' Ontzet keek Frou-Frou hem aan. 'Dat is niet eerlijk. Kijk eens hoeveel tijd er in de afwerking zit, al die aandacht die Eline hieraan heeft besteed... Het resultaat ziet er heel verzorgd uit. Dat moet toch minstens een acht waard zijn.'
Vivian V knikte. 'Een acht vind ik wel realistisch.'
'Pffff', zuchtte Eline. En ze was blij dat ze naar haar kamer kon. Ze had opeens dringend behoefte aan haar vriendinnen.

Hi girlz,

Daar ben ik weer. Deze keer niet vanaf de wc-bril, maar vanuit mijn grote bed. Kon ik nu maar even bij jullie zijn. Eventjes bijpraten met mijn vriendinnen, dat mis ik zo vreselijk.
Haley slaapt nu. Toen ik boven kwam lag ze te huilen. Ik heb haar getroost en nog een poosje op de rand van haar bed zitten praten. Ze had haar dag niet vandaag. Alweer niet. Volgens mij is er iets met haar aan de hand. Maar ik weet niet

wat. Ze had vandaag een mager vijfje volgens Leo Leoni. En Vivian V zei dat ze nu snel moest laten zien wat ze in zich had. Ze maakt nog kans op de titel, volgens Vivian. Dat komt omdat er vandaag weer geen tienen zijn gevallen.
Vanavond was ook mijn avond niet. Leo Leoni reageerde zo bot op mijn ontwerp. Toch had ik een acht, dankzij Frou-Frou, net als Yasmine, Caro en Zoë. Liselotte kreeg een negen, ik denk vanwege de kleuren die zij heeft gebruikt. Zij heeft nu de meeste punten, twee meer dan ik. Wel kreeg ik vandaag een extra complimentje van Frou-Frou omdat ik schoenen gebruikt had om het ontwerp compleet te maken. Zijzelf ontwerpt namelijk schoenen, maar dat weten jullie natuurlijk al.
Ontwerpen is het leukste dat er bestaat, vind ik. Vooral hier. Je voelt je net een filmster met al die luxe. En in de winkel zijn zoveel leuke spullen, behalve de lieve etiketjes die ik heb. Die hebben ze hier niet.
Soms ben ik zo druk bezig met ontwerpen dat ik de tijd vergeet. Dan denk ik soms een paar uur lang niet aan jullie. Is dat niet verschrikkelijk? Ik hoop dat jullie wel aan mij denken.

Ik heb mijn ontwerp voor de Beach Babe al af. Eigenlijk moeten we donderdag pas die opdracht maken, maar ik zag in de winkel zo'n mooie stof. Het was een soort voile, heel zacht en een klein beetje doorschijnend. Heel mooi dus, maar de kleuren waren zo ongelooflijk. Zijn jullie wel eens op een Grieks eiland geweest? Weet je nog hoe mooi de zee daar is? Blauw, groen, turquoise... En dat voile is precies in die kleuren. Ik ga er een lange, deinende strandrok van maken met een al even romantisch topje. Het ontwerp ligt veilig in een kartonnen bak onder mijn bed, want morgen krijgen we eerst nog: Creëer je eigen sfeer. Dat vind ik ook al zo'n opdracht met heel veel mogelijkheden.
Maar nu genoeg over ontwerpen. Als ik niet ophoud, droom ik er vannacht nog van en dat is niet de bedoeling.
Zoals ik al schreef: Haley is een beetje vreemd, maar gelukkig heb ik Liselotte. Zij en ik lijken best veel op elkaar, ontdekten we vandaag. We zouden zusjes kunnen zijn. Maar daarover vertel ik meer als ik terug ben.
Om heel eerlijk te zijn: ik heb eigenlijk geen tijd om jullie te missen. Daarvoor heb ik het te druk.

En ik heb jullie lieve briefjes. Vandaag had ik de smilies, de roos en twee briefjes met hartjes. Zo zijn jullie toch heel dicht bij mij.
Ik hoop dat ik van jullie ga dromen. Dan ben ik 's nachts toch een beetje bij jullie.

Luf u so muts,

Eline

13

Al vroeg werd Eline wakker. Haley sliep nog, dat wist ze ook zonder te kijken. Ze kende de geluidjes van haar kamergenoot intussen. Ze keek op haar klokje. Het was pas half zeven. Jeetje! Ze had zeker tot elf uur in het dagboek geschreven. Een kort nachtje. Ze kon zich maar beter nog een keer omdraaien. Ze trok het dekbed over zich heen en lag heel stil met haar ogen dicht. Maar hoe ze ook haar best deed, slapen lukte echt niet meer. Ze kon haar ogen gerust weer openen, want het hielp toch niet. Achter de gordijnen was de zon ook wakker, net als de vogels trouwens. Het leek wel of ze een songfestival hielden. Eline draaide zich op haar rug. Haar ene hand wreef zachtjes over haar buik die nog steeds een beetje zeurde. Vooral aan de rechterkant. Au! Daar kon ze beter niet aankomen want dat deed echt pijn. Zou het kwaad kunnen? Eigenlijk zeurde die pijn al een beetje sinds ze hier was. Nee, thuis had ze er ook al wat last van gehad. Dat was op de dag dat ze vertrok, of niet? Ze dacht na. Toen meende ze nog dat die maagpijn door mama kwam, maar

nu zat mama op kilometers afstand. Het leek net of de pijn een beetje naar beneden zakte, van haar maag naar haar buik. Zou ze mama vragen wat dat kon zijn? Haar hoofd schudde heen en weer op het kussen. Natuurlijk niet. Mama zou het antwoord ook niet weten. Ze wist alles van cosmetica, zoals ze haar schoonheidsmiddeltjes noemde. Maar van maagpijn, buikpijn intussen, had ze vast geen verstand. Daar wist Ellen meer van. Maar Ellen had vakantie, net als Yelien, Emma en Kato en zij lagen vast nog lekker te slapen. Straks gingen ze misschien met zijn allen iets leuks doen. IJs eten bij Venezia of misschien wel naar een middagfilm in de bios. Kon ze daar maar bij zijn. Opeens miste ze haar vriendinnen vreselijk. Ze slikte een brok in haar keel weg. Toen sprak ze zichzelf streng toe, alleen in gedachten natuurlijk. Anders zou Haley wakker worden en uit bed rollen van het lachen als ze haar hoorde.
Het ging zo: Eline, ouwe zemelaar. Hou op met dat getob. Jij hebt hier de week van je leven in een luilekkerland van mode en stoffen. Je wordt hier super-de-luxe verwend. Je leert veel van bekende ontwerpers. En je hoeft nog maar twee nachtjes te slapen, dan zie je iedereen weer terug. En... dan heb je misschien wel een mooie prijs gewonnen.
Ze dacht na. Bij zo'n wedstrijd als deze waren er geen verliezers. Iedereen had al een paar mooie prijzen thuis. Zo'n prachtige Leo Leoni-tas. Of zo'n super sieradenset van Jerry Glitz. Ze bofte maar dat ze in de finale gekomen was, vond Eline. En al eindigde ze desnoods op de tiende plaats, ze kreeg toch maar

mooi een tegoedbon van honderd euro om kleren te kopen bij *Y&B*. Ze was dik tevreden.
Ze sloeg haar dekbed terug en glipte stilletjes uit bed. Ook al had ze maar een kort nachtje gehad, ze hield het niet langer uit in bed. Ze trok haar roze joggingpak aan met haar... Ja, waar waren haar gympen? Toch niet in het atelier bij de paspop? Jawel. En het atelier zat natuurlijk nog op slot. Wat een geluk dat ze iets te veel in haar koffer had gestopt. Ze stapte in haar witte bootschoenen en liep stilletjes naar beneden. Daar was nog helemaal niemand. Hoewel... achter de stalen deuren naar de keuken klonk gekletter van servies.
Ze liep de gangen door naar de uitgang. Het was fris buiten. Het vochtige gras lag te glinsteren in de zon. Ze aarzelde. Zou ze een rondje gaan lopen of een plekje in de zon zoeken? Ze koos het eerste en liep naar het pad met de kastanjes. In gedachten telde ze af. Een, twee... start. Daar ging ze, lekker joggend onder de groene blaadjes. Nog voor de bocht vertraagde ze haar tempo. Ten slotte stopte ze. Met haar handen op haar bovenbenen stond ze uit te hijgen. Ze keek om toen ze voetstappen hoorde. Daar kwam Jerry Glitz aan, helemaal alleen. Hij droeg een blits trainingspak en had een handdoek over zijn schouders geslagen. Hijgend kwam hij dichterbij. Hij stak zijn hand op als groet en passeerde haar. Toen bedacht hij zich en keerde om. Met kleine dribbelpasjes kwam hij naar haar toe. 'Gaat het?'
Eline strekte haar rug en knikte. 'Ja hoor.' Intussen wist ze wel beter. Nee, natuurlijk ging het niet. Ja,

wandelen... dat zou vast wel gaan. Maar joggen was nu niet fijn. Ze kreeg er alleen maar meer buikpijn van. Om te bewijzen dat het ging, zette ze stevig de pas erin. Jerry dribbelde met haar mee en paste zijn tempo aan. Door de korte pauze was hij weer helemaal op adem.
'Wat goed van je dat je aan het joggen bent', prees hij. 'Doe je dat thuis ook?'
'Ik loop wel eens met vriendinnen', zei Eline. Dat was toch zeker niet gelogen?
Jerry knikte. 'Ik probeer minstens drie keer per week te joggen, liefst vroeg in de ochtend. Als modeontwerper leid je soms een heel ongezond leven. Vooral tegen de tijd dat je een collectie moet showen, heb je veel last van stress. Dan kan een rondje joggen wonderen doen.' Vol belangstelling keek hij Eline aan. 'Wil jij later ook kleding ontwerpen?'
'Dolgraag.' Eline straalde. 'Modeontwerper lijkt me het leukste beroep van de wereld.'
Jerry knikte. 'En als je succesvol bent, zie je nog eens wat van de wereld. Over succesvol gesproken... je doet het goed in de finale. Net onder Liselotte.'
'Twee puntjes verschil', zei Eline.
'We zijn pas op de helft', zei Jerry. 'Er kan dus nog van alles gebeuren. Blijf geloven in jezelf. Tot straks.' Hij trok een sprintje en verdween tussen de bomen.
Eline had het er warm van gekregen. Zij en Jerry in alle vroegte met zijn tweetjes onder de kastanjes! Was dat niet superromantisch? Wat jammer dat niemand hen gezien had. En wat jammer dat ze niet eventjes haar vriendinnen kon bellen. Met een

brede glimlach op haar gezicht liep ze terug naar De Rozenkrans. Na een snelle douche, zonder Yin en Yang, was ze mooi op tijd voor het ontbijt. Morgen ga ik weer joggen, nam ze zich voor. Had ze maar een foto van Jerry gemaakt, dan kon ze die tenminste nog laten zien. Daar had ze te laat aan gedacht. Bovendien vond ze dat niet zo netjes, iemand zomaar fotograferen.

Na het ontbijt glipte ze weg naar boven. Ze moest nog vier nieuwe briefjes openmaken. Ze was benieuwd wat haar vriendinnen vandaag te melden hadden. Op de rand van haar bed vouwde ze het eerste briefje open.

Vriendschap is het beste medicijn.
Het helpt bij alles.

Dat had Yelien geschreven, met *x x x* eronder.
En Ellen schreef:

Ik hoop dat je geniet daar, maar ik zal blij zijn als je weer hier bent. Ik mis je.

Eline drukte de twee briefjes even tegen zich aan. Wat lief... Niemand had zulke fantastische vriendinnen als zij. Ze rolde een ander briefje uit, van Emma.

Echte vriendinnen zijn altijd dichtbij, ook als ze ver weg zijn.

Wat lief, dacht Eline, terwijl ze het laatste briefje opende.

Zet 'em op, kampioentje! Ik duim voor jou.

Eline schoot in de lach. Dat was weer typisch Kato. Met een lach op haar gezicht liep ze naar beneden. Bij het raam in de gang stond ze even stil en keek naar buiten. Beneden op straat stopte een blits, rood sportwagentje. Haar ogen werden groot toen ze Jerry uit zag stappen. Zijn rode sjaaltje had precies de kleur van de auto. Haar ogen volgden hem toen hij om de auto heen liep naar de kant van de bestuurder. Daar ging nu ook de deur open. Een jongen met een kaalgeschoren hoofd leunde op de deur. Hij praatte met Jerry. Je kon wel zien dat de twee dikke vrienden waren. Onder het praten legde Jerry telkens zijn hand op de schouder van de ander. Toen boog hij zich naar hem toe. Ze kusten elkaar.
Het rode autootje verdween ronkend om de hoek en Jerry liep het klooster binnen, maar Eline stond nog steeds door het raam te staren. Die omhelzing was geen vriendschappelijk gebaar geweest. Ze had het wel gezien, hoor. Dit was heel speciaal. Zo namen verliefde mensen afscheid. Het was zo romantisch... Maar tegelijk ook heel verdrietig voor haar, besefte ze. Yelien had de waarheid gesproken. Tussen Jerry en haar zou het nooit iets worden en dat lag niet aan het leeftijdsverschil. Ze streek zachtjes over haar maag. Gossie, nu stond ze hier moederziel alleen in een wildvreemd klooster met een gebroken hart.

Een gebroken hart? dacht ze opeens. Eline, wat kun jij overdrijven! Je was verliefd op hem, maar niet verliefd genoeg om een gebroken hart te krijgen. Kom op, zeg! Hij is lief en knap, maar hij is bezet. Jammer. Diep in haar hart had ze van het begin af aan getwijfeld over het leeftijdverschil. Hij had alles al beleefd wat zij nog moest ontdekken. Hij werkte al, zij moest nog naar school. Hij was al beroemd, zij wilde het graag worden.
Opeens werd ze door elkaar geschud. 'Eline, wat sta je daar te dromen? We gaan beginnen', zei Haley.
Even kneep Eline haar ogen dicht. Ze schudde haar hoofd om haar gedachten te verjagen. 'Ik kom al.' Snel liep ze achter Haley aan.
Wat zou het fijn zijn, dacht Eline, als ze nu even haar hart kon luchten bij haar vriendinnen. Maar dat kon niet. *The show must go on*, dat werd toch altijd gezegd over de artiestenwereld. In de modewereld zou het niet anders gaan, dacht Eline. Haar opdracht ging voor. Nu was het niet zo dat haar wereld vergaan was, maar een kleine aardbeving was er wel geweest. Gelukkig kon ze zich helemaal uitleven bij het thema: Creëer je eigen sfeer. Vivian had nog wat uitleg gegeven en wat tips waar je op moest letten. Toen kon iedereen aan de slag.
Eline kleedde haar paspop uit en rolde die terug op zijn plaats. De kleren en gympen bracht ze naar haar kamer. Toen trok ze zich terug met haar tekenboek en potloden. Een dag lang lekker tekenen... Eline werd er helemaal blij van. Haar eigen sfeertje had ze al helemaal uitgestippeld. Die winkel beneden gaf

haar zoveel inspiratie. Als ze daar rondliep kwamen de ideeën haast vanzelf. Twee hoofdkleuren had ze uitgezocht: zeegroen en hemelsblauw. Daaromheen had ze bedrukte stofjes gevonden waar die twee kleuren in terugkwamen.
Ze begon met de tekening van een badjas. De sfeer die ze wilde uitdrukken moest gaan over ontspannen, over lekker chillen. Bij de zeegroene badjas hoorde een lekker grote tulband van zeegroene badstof met schelpen erop. Van dezelfde stof tekende ze ook een strandtas en een haarband. Onder de badjas kwam een hemelsblauwe pyjama bedrukt met witte zeepaardjes. En omdat ze dat zo'n lief stofje vond, bedacht ze hier ook een toilettas bij. Het badlaken werd ook hemelsblauw, had ze bedacht. Hemelsblauw met in het midden een brede, zeegroene strook. Van dunnere stof zou het douchegordijn worden, hemelsblauw met groene rietstengels. Diezelfde stof gebruikte ze voor een lampenkap en een dekbedovertrek. Ze tekende en tekende... en telkens kreeg ze weer nieuwe ideeën. Hier kon ze eindeloos mee aan de gang blijven. Een zeegroene badmat met een randje hemelsblauw, bijvoorbeeld. Blad na blad tekende ze vol met ontwerpen die ze allemaal inkleurde.
Noodgedwongen ging ze lunchen, maar daarna wilde ze echt weer zo snel mogelijk verder werken.
In de winkel knipte ze met een kartelschaar rechthoekige stukjes uit de stoffen. Die stukjes plakte ze op de juiste bladzijde bij haar ontwerp.
De hele dag werkte ze intens aan haar sfeerproducten. Toen leunde ze achterover. Ze kneep haar ogen tot

spleetjes. Tussen haar ooghaartjes door keek ze naar de tekening met de badjas. Dat zag er toch bijna professioneel uit! Wow! Dat had ze met hard werken voor elkaar gekregen. En weet je wat zo mooi was? De Beach Babe die ze voor de volgende dag moesten ontwerpen paste er wat kleur betrof perfect bij. Alles was in dezelfde kleur en stijl.
Haar ogen dwaalden van de tekening naar het atelier. Toen pas zag ze hen staan: Vivian V, Leo Leoni, Jerry en Frou-Frou stonden met zijn vieren naast elkaar. Alle vier keken ze naar haar. Zou er iets zijn? vroeg ze zich af. Vragend trok ze haar wenkbrauwen op. Toen begon de jury te lachen. Ze liepen naar haar toe.
'Eindelijk! Daar ben je weer', zei Frou-Frou. 'Welkom terug.'
Vivian V schudde haar hoofd. 'Je zat te werken of je leven ervan afhing.'
Jerry keek haar aan. 'Jij komt er wel!'
Ze glimlachte dankbaar terug. Met geen mogelijkheid kon ze boos op hem zijn. Ze vond hem nog steeds top.
'Dat zou je haast denken', knikte Leo Leoni.
'Vergeet niet je naam op je ontwerp te zetten', zei Vivian tegen iedereen. Zij ging rond om alle tekeningen op te halen.
De juryleden aten een hapje met hen mee. Daarna trokken zij zich terug om de ontwerpen de beoordelen. Voor de meisjes was er een documentaire over de modellenwereld.
'Het lijkt me tof om model te zijn', verzuchtte Layla.
'Dan mag je altijd de mooiste en nieuwste kleding dragen', viel Alissia haar bij.

'En je wordt opgemaakt door echte visagistes die heel dure make-up bij zich hebben', vulde Yasmine aan.
'Het lijkt me heel speciaal', zei Liselotte. 'Als je over de catwalk loopt, hoor je alsmaar het klikken van fotocamera's.' 'Als model verdien je heel veel geld', wist Haley. 'Als ik geen ontwerpster word, wil ik wel model worden. Zalig, zo'n luxeleventje.'
'Alle mannen willen met je uitgaan', mijmerde Britt.
Er werd gejoeld.
Eline zat stilletjes in haar stoel te luisteren. Ze voelde nu pas hoe moe ze was van het intensieve werken vandaag. Ze had haar schoenen uitgeschopt en haar benen opgetrokken.
Tijdens de documentaire werd het stiller en stiller. De modellenwereld leek alleen maar glamour en glitter, maar de werkelijkheid was toch anders. Natuurlijk verdiende een model veel geld, maar dat gold alleen voor de topmodellen. Verder moesten ze keihard werken en voortdurend op hun gewicht letten. Ze reisden vaak van de ene grote show of fotosessie naar de andere, maar ze zagen vaak niet veel meer dan de catwalk en hun hotelkamer.
'Je hebt niet eens tijd om te daten', zuchtte Britt na afloop.
'Volgens mij ben je half verblind door het flitslicht', reageerde Liselotte.
'Toch lijkt het me wel leuk om de wereld rond te reizen', vond Eline. 'Met een vliegtuig langs al die grote modesteden...'
Verder kwam ze niet, want de jury kwam binnen.
Iedereen werd stil. Het meest spannende uur van de

dag begon. Eline kruiste haar vingers. Deze keer was ze heel zeker van zichzelf. Ze moest een hoog cijfer krijgen. En dat kreeg ze.
'Als er iemand van jullie sfeer weet te creëren dan is het wel Eline', begon Frou-Frou opgewekt. 'Wow! Wat heb jij een mooie lijn met producten bedacht. En alles is perfect op elkaar afgestemd.'
'Onze complimenten', knikte Leo Leoni.
Jerry applaudisseerde en knikte goedkeurend naar Eline.
'En dan nu jouw punt', zei Vivian V. 'Voor de allereerste keer deze week geeft de jury tien punten weg. Voor jou, Eline!'
Eline glom van trots. Een tien! Wie droomde daar niet van?
Liselotte, die links van haar zat, omhelsde haar. 'Proficiat!'
Haley, die aan de andere kant zat, zat met de rug naar Eline toe. Ze reageerde niet eens. Zou ze zo jaloers zijn? vroeg Eline zich af. Maar verder besteedde ze er geen aandacht aan. Vanavond op haar kamer zou ze wel met haar praten. Ze genoot intens van haar tien. Een groot deel van wat de jury zei ging langs haar heen. Behalve toen Liselotte aan de beurt was. Zij kreeg ook een tien.
Op de rand van haar bed, al in pyjama, schreef ze in het dagboek:

Hoera! Ik heb een **dikke tien** gekregen voor mijn sfeeropdracht!

De allereerste tien van deze week. Ik zit hier helemaal te glimmen van trots. Maar ik zit ook een beetje te tollen van de slaap.
O ja, Liselotte heeft ook een tien. In de ranglijst is dus niets veranderd. Liselotte is wel erg goed, als je het mij vraagt.

Die tien is het goede nieuws. Het droevige nieuws is: Jerry, mijn lief, is onbereikbaar voor mij. Gelien had gelijk. Ik leg het nog wel uit, maar ik val nu om van de slaap.
Welterusten en tot morgen.
Ik ga slapen als een roosje. (zonder doorns)
Misschien zelfs als een marmot.

14

Met een schok werd Eline wakker. Iets zei haar dat het nog nacht was. Met haar ogen dicht lag ze te luisteren. Ze was intussen wel gewend geraakt aan de pufgeluidjes die Haley in haar slaap maakte. Maar wat ze hoorde waren geen pufgeluidjes. Er klonk geritsel. Het klonk zelfs heel dichtbij. Er sloop iemand door hun kamer. Haar hart bleef steken in haar keel. Help! Ze wilde gillen, maar ze kon geen geluid uitbrengen. Haar keel zat dicht. Ze gluurde onder haar wimpers door. Toen zag ze Haley. Opeens gingen haar ogen wijdopen. Haley? Wat moest die naast haar bed?
'Haley...', wist Eline uit te brengen. 'Wat... is er?'
Het leek wel of Haley schrok. Maar die schrik was snel weer over. 'Volgens mij had je een nachtmerrie. Gaat het weer een beetje?'
'Ik denk het wel', mompelde Eline. Ze dacht: een nachtmerrie? Ze probeerde zich te herinneren wat ze had gedroomd. Opeens wist ze het weer. Ze had gedroomd dat er iemand door hun kamer sloop. Dat was het. Met een zucht van opluchting draaide ze zich op haar zij. Al gauw sliep ze weer.

Toen ze weer wakker werd, was het van de pijn. Die akelige buikpijn was opeens veel erger geworden. Ze had zo'n pijn, ze kon niet eens stil blijven liggen. Ze kronkelde zich in bochten om toch maar zo min mogelijk last te hebben. Hopelijk zakte het snel want anders... anders wist ze niet hoe ze dit vol moest houden. Ze wreef met haar hand langs haar voorhoofd. Ai, haar hand was nat. Haar voorhoofd dus ook. Zou dat door de pijn komen? Ze moest een pijnstiller vragen. Dan zou het beter gaan. Ze kwam overeind. Het bed van Haley was leeg. Hoe laat was het eigenlijk? Ze schrok zich een hoedje. Het was al kwart over acht! Ze kwam nog te laat voor het ontbijt. Moeizaam zette ze haar ene voet buiten het bed. Toen de tweede. Oef, het begin was er. Waarom ging alles toch zo zwaar vandaag? Als ze gedoucht had, ging het misschien beter. Maar als ze nu nog douchte, wist ze zeker dat ze te laat kwam voor het ontbijt. Help! Wat moest ze doen? Ze boog haar hoofd en dacht na. Zweetdruppels liepen langs haar hoofd en vielen op haar pyjama. Dat was duidelijk: ze moest douchen. Heel kort.
Onder de regendouche voelde ze zich weer wat beter. Voor Yin en Yang nam ze geen tijd. Ze liet het water over zich heen stromen. Puur water was prima. Toen glipte ze in haar kleren. Echt snel ging dat niet. Ze moest rustige bewegingen maken, want anders werd de buikpijn te heftig. Gedoucht, gekamd en aangekleed stond ze in haar kamer en keek om zich heen. Wat moest ze nog meenemen? Het was donderdag vandaag, de dag van de Beach Babe. Ze

zou haar ontwerp vast meenemen, dan hoefde ze daar niet expres voor naar boven te lopen. Voorzichtig boog ze zich voorover. Ai, die pijn... Ze pakte het kartonnen bakje. Ze schoof de bruine zakjes opzij. Waar was haar tekening? Zou die misschien in het andere bakje zitten? Nee, ze hoefde zichzelf niets wijs te maken. Ondanks de pijn wist ze heel goed waar ze haar ontwerp voor de strandkleding had gelaten: onder die bruine papieren zakjes. Daar was het niet. Verder zoeken had geen zin. Tekeningen sprongen heus niet uit zichzelf in een ander bakje. Er was maar één mogelijkheid: iemand moest haar tekening gepakt hebben. Dit was wel erg vervelend. Weer wreef ze langs haar voorhoofd. De zweetdruppels glinsterden op haar hand. Nog even en ze was weer kleddernat. Ze wreef met een handdoek over haar voorhoofd en liep met voorzichtige stappen haar kamer uit.
Op de drempel van de eetzaal liep ze Jerry tegen het lijf. Ze was een beetje buiten adem toen ze zei: 'Mijn ontwerp is verdwenen.'
Hij keek haar aan met grote ogen. Ze kon zien hoe hij schrok. 'Wat is er met je?' Hij klonk ongerust.
'Mijn blauwgroene Beach Babe-creatie...' Opeens kwam zijn hoofd heel dicht naar haar toe. Of was het haar hoofd dat naar hem toe zwalkte? Ze wist het niet. Ze wist helemaal niets meer. Alles werd donker. Ze viel flauw van de pijn. Als Jerry er niet geweest was, zou ze keihard op de grond gevallen zijn. Nu hing ze als een slappe lappenpop tegen hem aan met haar hoofd op zijn schouder. Hij ving haar op en keek

hulpeloos om zich heen, hoorde ze later van Liselotte, die alles had gehoord en gezien. Liselotte schoof snel een zachte stoel dichterbij waarin Jerry haar voorzichtig liet landen. Hij riep haar naam. Liselotte ook. Ze opende haar ogen en keek van Liselotte naar Jerry. Haar haren plakten tegen haar drijfnatte voorhoofd. 'Mijn strandontwerp is weg... zo jammer... zo'n erge buikpijn...'
Opnieuw werd het zwart.
Ze schrok op toen ze werd vastgepakt en op een bed werd gelegd. Was het wel een bed? Het leek wel of er wielen onder zaten. Wat waren Jerry en Liselotte van plan? Gingen ze de tekening zoeken? Ze opende haar ogen. Dat waren Jerry en Liselotte niet. Maar wie waren het dan? Ze hadden iets groens aan. Waren het haar Beach Babes? Nee, geen Beach Babes. En dat licht was ook niet van de vuurtoren. Vuurtorens hadden geen blauw zwaailicht.
'We brengen je naar het ziekenhuis', zei een vreemde mannenstem.
Ze schudde driftig haar hoofd heen en weer. Nee, niet naar het ziekenhuis. Ze zat in de finale. Dan kon je niet zomaar weggaan. Ze stak haar hand uit naar de man in het groen. 'Meneer...' Toen zag ze de naald met het slangetje eraan. Hoe kwam dat in haar hand. 'Rustig maar', suste de man. 'Je ouders zijn al onderweg. We zijn zo in het ziekenhuis.'
Met gillende sirenes baande de ambulance zich een weg door de ochtendspits.

Toen ze wakker werd, was haar buikpijn verdwenen. Ze voelde het nog voor ze haar ogen opende. Naast haar bed stond een paal die een zacht piepend geluid maakte. Bij elk piepje floepte er een lichtje aan. En weer uit. Haar ogen gleden verder. Wat had ze nu toch aan? Iets blauws? Dat was helemaal niet van haar. Ze stak haar hand uit. Daarin zat nog steeds die naald met dat slangetje. Voorzichtig legde ze de hand op de zijkant van het bed. Ze drukte haar kin tegen haar borst en keek naar het blauwe kledingstuk.
Wat een soepjurk! Maar er was nog iets. O ja, haar tekening... wat was er ook alweer met haar tekening?
Onrustig schoof ze heen en weer.
'Rustig maar, Lienemieneke. Je bent in het ziekenhuis.'
Dat was de stem van papa.
'Je hebt een blindedarmoperatie gehad', zei mama.
Mama was er blijkbaar ook. Het werd toch tijd dat ze haar ogen eens open deed. Maar ze was zo moe... Ze sliep gewoon weer verder, of ze wilde of niet.
Toen ze opnieuw wakker werd, opende ze meteen haar ogen. Ze lag nog steeds in het ziekenhuis.
Aan de ene kant van haar bed stond papa en aan de andere kant stond mama. Bezorgd bogen ze zich over haar heen.
Eline wilde iets zeggen, maar haar lippen zaten vastgeplakt en haar mond was zo droog als een beschuitje. Ze maakte een paar smakgeluidjes voor ze kon praten. 'Ik... heb...dorst.'
Mama hield haar een beker voor. 'Voorzichtig, een paar slokjes maar. Straks krijg je meer.'

Ze dronk gulzig, tot het bekertje verdween. Water. Dat was lekker. Ze sloot haar ogen om beter na te kunnen denken. Waarom lag ze ook alweer in het ziekenhuis? Mama had daarnet iets gezegd. En moest ze hier lang blijven? Vast niet, ze had geen buikpijn meer. Maar ze zat nog steeds in de finale. Of niet soms? Ze wilde rechtop zitten, maar voelde een golf van misselijkheid door zich heen trekken. Oef, ze kon maar beter gaan liggen. Vooruit, eventjes dan. Ze zuchtte. 'Wat is er gebeurd?'
'Je had een blindedarmontsteking', zei mama. 'Gelukkig was je net op tijd in het ziekenhuis om geopereerd te worden.'
Geopereerd? Was ze geopereerd? Wanneer dan? Daar had ze helemaal niets van gemerkt. Mama moest zich vergissen. Of toch niet? Had ze toch een operatie gehad? Daarom was haar buikpijn misschien wel over. Maar als haar buikpijn over was, betekende dat misschien dat ze weer beter was.
'Wanneer mag ik hier weg?' vroeg ze met droge mond. 'Vandaag?'
Mama keek naar papa. Papa streek zachtjes over haar haren. 'Je moet nog wel een paar dagen hier blijven.'
'Een paar dagen!' Als een rauwe kreet vlogen die woorden uit haar mond.
Papa knikte.
'Maar de finale?' Het klonk als een droge snik.
Papa schudde zijn hoofd. Hij pakte haar hand en drukte die even tegen zijn wang. 'Lienemieneke, wees maar blij dat het zo goed is afgelopen. Het had zoveel erger gekund.'

Eline voelde de tranen achter haar ogen prikken.
'Natuurlijk is het niet leuk dat je nu niet langer mee kunt doen', zei mama. 'Dat snap ik heus wel.'
Eline schudde haar hoofd. Mama snapte er niets van, ze had geen idee wat dit voor haar betekende. Dit was een ramp.
'Hoe moet het nu verder?' mompelde ze. 'Ik bedoel, met mijn kleren en mijn spullen?'
'Wij gaan zo meteen even naar De Rozenkrans', zei papa. 'Iedereen wil weten hoe het met je gaat. En dan halen we meteen je kleren op.'
'En twee kartonnen bakjes onder mijn bed', mompelde Eline.
'Dat komt wel goed', zei papa.
'Enne... dat doosje op mijn nachtkastje...' Ze dommelde weer in slaap. Soms werd ze even wakker. Dan zag ze mama aan haar bed. Of papa. Ze zaten daar maar, tot ze zeiden dat het tijd was om naar huis te gaan. Ze nam afscheid van haar ouders en doezelde weer verder. Toen ze opnieuw wakker werd, scheen er een beetje daglicht door het dunne gordijn. Een verpleegster kwam haar temperatuur opnemen. 'Jij hebt het wereldkampioenschap lang slapen gewonnen', grapte ze.
Had ik de finale maar gewonnen, dacht Eline. Maar daar kon de verpleegster natuurlijk ook niets aan doen. Ze was juist reuze aardig. 'Lust jij een beker yoghurt?' vroeg ze.
'Ja,' knikte Eline, 'dat lust ik wel.'
'Daar ga ik voor zorgen', beloofde de verpleegster.
Pas toen ze wegging, zag Eline de klok boven de deur.

Het was zes uur. In de avond? In de morgen? Ze had geen notie meer van tijd. 'Welke dag is het?' vroeg ze toen de verpleegster terugkwam.
Zij schoof een tafeltje over het bed. 'Het is vrijdagmorgen. Kijk eens, een beker yoghurt. Als je meer lust mag je het gewoon vragen.'
Eline knikte. 'Dank u wel.' Vrijdagmorgen... Over een uurtje begon er een nieuwe dag in De Rozenkrans. De spannende dag van de finale. En zij was er niet bij. Met een brok in haar keel probeerde ze haar yoghurt door te slikken.
'Zal ik de gordijnen openmaken?' vroeg de verpleegster.
Eline knikte. Nu kon ze naar buiten kijken. Slaap had ze niet meer. Ze keek over de daken en schoorstenen heen naar de opkomende zon. Beneden in de straten kwam het verkeer op gang. Een nieuwe dag was begonnen. Thuis sliepen haar vriendinnen natuurlijk weer een gat in de dag. Ze wisten vast niet dat zij in het ziekenhuis lag en bellen kon ze niet. Ze had geen idee waar haar telefoon gebleven was.
Om half elf kwamen papa en mama alweer. Ze waren in De Rozenkrans geweest om haar spulletjes op te halen.
'Bedoel je dit doosje?' vroeg papa.
Eline knikte blij. Nu kon ze tenminste de laatste briefjes van haar vriendinnen lezen.
'We hebben van thuis wat slaapshirts meegebracht', zei mama.
'Gelukkig', zuchtte Eline. 'Nu kan ik eindelijk die rare soepjurk uittrekken.'
'Voorzichtig', waarschuwde mama. 'Denk om je infuus.'

Maar de verpleegster was daar heel handig in en hielp mee. Gelukkig, nu zag ze er weer een beetje uit als Eline. Ze friste haar gezicht op met een vochtig doekje en haalde een borstel door haar haren. Oef, zo was het wel weer mooi geweest. Ze was net op tijd klaar, want de dokter kwam binnen.
'Good morning, young lady', groette de dokter.
Jakkes, zou ze een Engelse dokter hebben? Hoe moest ze in het Engels vragen wanneer ze naar huis mocht? Ze probeerde zich Engelse woordjes te herinneren. Beach Babe, ja dat wist ze wel. Maar daar had ze hier niets aan.
'Hoe gaat het met je?' vroeg de dokter opeens in haar eigen taal. Hij had zeker een grapje gemaakt.
'Het gaat goed', zei Eline. 'Ik heb al helemaal geen pijn meer. Mag ik dan naar huis?'
'Jij houdt wel van opschieten', lachte de dokter. 'Als alles zo goed blijft gaan als nu dan mag je... even kijken, maandag... misschien zelfs zondag al naar huis.'
Eline zweeg. Zondag... Wat had je daar nu aan. Vandaag, daar ging het om. Maar ook de dokter leek dat niet te snappen.
Toen iedereen weg was, papa, mama en de dokter, pakte ze het magazine dat papa op haar nachtkastje had gelegd. Leunend in een berg kussens begon ze er langzaam in te bladeren. In lezen had ze nog geen zin, maar plaatjes kijken was een mooi tijdverdrijf.
Ze schrok op van een stem. 'Gaat het weer een beetje?'
'Jerry!' Ze voelde haar wangen kleuren. Wat lief dat hij haar opzocht. En hij had nog wel een bloemetje meegebracht.

Hij trok een krukje onder haar bed vandaan en ging zitten. Ze werd er stil van. Waarom was er nooit iemand in de buurt om foto's te maken van de belangrijke momenten in haar leven? Ze kon het straks wel rondvertellen, maar wie zou geloven dat Jerry Glitz echt aan haar bed had gezeten toen haar blindedarm eruit moest? Ze slaakte een zucht.
'Gaat het echt wel?' vroeg Jerry bezorgd.
Er brak een glimlach door. Ja hoor. Natuurlijk ging het.
'Ik moet je iets vragen', zei Jerry. 'Voor je gisteren flauwviel...'
Ze trok een frons. 'Ben ik flauwgevallen?'
Jerry knikte. 'Vlak daarvoor zei je dat jouw tekening weg was. Weet je dat nog?'
Eline knikte. Dat wist ze nog al te goed.
'Weet je nog wat je getekend had?' vroeg Jerry.
Eline leunde in de kussens. 'Ik had een superromantische strandrok ontworpen, een lange rok met een topje erbij. De stof die erbij hoorde was een dunne voile in de kleuren van de zee. Blauw, groen, turquoise... Als ik een blaadje had, kon ik het zo tekenen.'
Echte ontwerpers hebben blijkbaar altijd blaadjes bij zich, want Jerry legde een tekenblokje met een potlood voor haar neer. In grote lijnen schetste Eline haar strandontwerp.
Vol belangstelling keek Jerry toe. 'Dat lijkt wel een beetje op dit idee.' Hij greep in de binnenzak van zijn blitse, leren jasje en haalde een tekening tevoorschijn. 'Kijk!'
Eline schoot opeens rechtop in haar bed.

'Dat is mijn tekening!' Au! Die pleister op haar buik zat niet lekker. 'Dat is mijn ontwerp! Je hebt het teruggevonden!' Gelukkig, nu was dat probleem ook opgelost. Maar waarom trok Jerry zo'n vreemd gezicht? Was er iets mis?
'Ik heb het niet teruggevonden', begon hij. 'Zo is het niet helemaal gegaan. Haley heeft het gisteren ingeleverd.' Nu pas schoof hij zijn vinger opzij. In zwarte blokletters stond daar: **Haley**.
Met open mond keek Eline van de tekening naar Jerry. Ze kon het niet geloven. 'Wat zeg je?'
'Je hebt me goed verstaan', zei Jerry. 'Haley heeft jouw ontwerp ingeleverd. En ze heeft er ook nog eens zeven punten mee verdiend.'
Eline liet zich zachtjes in haar kussens zakken. Hoe was Haley aan haar tekening gekomen? Ze sloot haar ogen. Opeens zag ze Haley weer naast haar bed staan. Ik had helemaal geen nachtmerrie, besefte ze nu pas. Ze vertelde Jerry wat er was gebeurd. 'Hoe zijn jullie erachter gekomen dat dit ontwerp niet van Haley was?' vroeg ze tot slot.
'Haley was de hele week zwak', zei Jerry. 'Dus toen ze gisteren met dit ontwerp kwam, viel het de jury meteen op. Zelf dacht ik eerst nog dat het van jou was. Het zijn jouw kleuren, het is jouw romantische stijl... We hebben Haley gevraagd of ze zeker wist dat dit haar eigen ontwerp was. Ze was diep beledigd dat wij haar zoiets durfden te vragen. Maar toen zei Noa dat wij maar eens met Katelijne moesten praten.'
'Katelijne?' vroeg Eline. 'Wie is Katelijne?'
'Dat wisten wij ook niet', zuchtte Jerry. 'Haley barstte

in tranen uit en verdween naar haar kamer. Het was allemaal al erg genoeg, dachten wij. Maar het kon nog erger. Vivian zei tegen Noa: 'Als jij hier meer van weet, moet je dat nu zeggen. Nu kunnen wij nog iets doen.' En toen vertelde Noa dat Haley de voorrondes had gewonnen met tekeningen van haar vriendin Katelijne. Het is niet te geloven.'
Eline was er stil van geworden. Ook Jerry zweeg. Hij wierp een snelle blik op zijn horloge. 'Ik moet gaan, Eline. De finale gaat zo beginnen.'
Eline knikte. Opeens liepen de tranen over haar wangen. En Jerry droogde ze. 'Als je niet ziek was geworden, was je op een mooie plaats geëindigd, misschien wel derde geworden', troostte hij haar. 'Je bent echt goed, Eline. Jij komt er wel, ook zonder deze titel.'
Ze lachte door haar tranen heen. Wie kreeg er zoveel mooie complimenten als zij? Niemand immers. En dat Jerry Glitz haar tranen droogde... Aah, daar had ze weer geen foto van. Maar diep binnenin bewaarde ze de mooiste herinnering.
Jerry kneep even in haar hand. 'Ik moet nu gaan. Maar ik zie je nog wel terug. Ergens op een catwalk in Parijs misschien?'
Ze schonk hem haar liefste glimlach. 'Wacht!' riep ze opeens. 'Weet jij al wie de finale wint?'
'Ik heb wel een idee'. Hij keerde terug naar haar bed en fluisterde zacht een naam in haar oor. Ze voelde zijn warme adem en zijn zachte lippen. Er verscheen een glimlach op haar gezicht, maar dat kwam vooral door de naam.

15

Ze moest toch nog in slaap gesukkeld zijn, want toen ze haar ogen opende, zaten haar ouders geduldig naast haar bed te wachten.
'Sliep ik nu alweer?' vroeg Eline.
'Dat komt door de narcose', zei mama. 'Daar ben je een poosje moe van.'
'O' Ze lag even stil en dacht na.
'Heb je bloemen gekregen?' vroeg papa.
'Van Jerry', straalde ze. 'O, ik moet jullie nog een heel spannend verhaal vertellen.' Ze ging rechtop in haar bed zitten om het verhaal van Jerry te vertellen. 'Weet je wat...' Opeens werd ze afgeleid. Liselotte stond in de deuropening. En achter haar stond Jerry.
Help! Ze ging toch niet wéér huilen? Met de rug van haar hand boende ze over haar ogen. Het lag vast aan de droge ziekenhuislucht dat haar ogen telkens traanden. 'Liselotte!' Er klonk een snik in haar stem. Wat fijn dat Liselotte gekomen was. Ze trok haar naar zich toe. 'En? Heb je gewonnen?'
Liselotte knikte en keek haar stralend aan. 'Wist jij daar meer van?'

Eline stuurde een knipoog naar Jerry. 'Ach, ik heb zo mijn bronnen in de modewereld. Grapje.'
'En ik heb een kaart uit de modewereld', plaagde Liselotte terug. 'Kijk.'
'Van harte beterschap', las Eline hardop. Alle namen stonden erop. Niet alleen van de meisjes, maar ook van de jury. Alleen de naam van Haley ontbrak.
'Ik weet niet of ik wel gewonnen had als jij gebleven was', zei Liselotte.
'Natuurlijk wel', protesteerde Eline. 'Jij was echt goed. En ik was net niet goed genoeg. Het is niet anders.'
'Kijk, dit ben ik na de prijsuitreiking.' Liselotte liet een foto zien van zichzelf met een grote sjerp om. *Modekoningin*, las Eline. En op Liselottes hoofd fonkelde een klein kroontje.
'Dit is echt megacool', vond Eline. 'Jammer dat ik dit moest missen.'
'We komen het nog eens dunnetjes overdoen', lachte Jerry. 'Toen jij zo halsoverkop verdween, stond je er niet slecht voor. Misschien had je nog kans op de titel. Dat zullen we nooit weten. We vinden het heel erg voor jou dat het zo gelopen is. Liselotte wilde haar kroon en sjerp naar jou brengen. Dat vonden wij weer sneu voor haar. Een officiële titel kan de jury je niet geven, want je kon niet blijven tot het einde. Maar we willen je toch laten weten hoe goed we je vinden en daarom mag ik jou de tegoedbon van *Y&B* geven. En Liselotte heeft ook nog iets.'
'Tataa!' riep Liselotte. Uit een van haar zakken haalde ze een sjerp tevoorschijn met *MODEKONINGIN* erop. Die hing ze om Elines schouder. 'Het was echt tof om

samen met jou voor de titel te gaan.' Ze kuste Eline. Toen zette ze een stap opzij.
Jerry kwam naar voren. In zijn handen had hij een kroontje. Waar had hij dat opeens vandaan? Hij zette het kroontje op Elines hoofd. 'Jij was een fantastische kandidate', zei hij. Toen zoende hij haar. En terwijl zijn zachte lippen haar wangen raakten, hoorde Eline papa's camera klikken en klikken en klikken...
Eindelijk foto's! En wat voor een foto's!
Voorzichtig hield Jerry haar hand met het infuus vast. Aan de andere kant van haar bed stond Liselotte met een arm om haar schouder.
'Nog een laatste foto', zei papa. '*Say cheese*!'
Eline hoefde echt geen *cheese* te zeggen, ze had een lach van oor tot oor.
Jerry en Liselotte namen afscheid van Eline.
'Mijn ouders wachten', zei Liselotte. 'Maar we schrijven, is dat goed?'
Eline knikte. 'We schrijven, bellen of mailen. We houden contact.'
'En wij?' vroeg Jerry. 'Laat je me af en toe nog eens weten hoe het gaat? Ik ben benieuwd naar je carrière.'
'We houden contact', beloofde Eline.
Ze zwaaide hen na. Ook al had ze niet gewonnen, ze had deze week twee speciale mensen leren kennen. Ze had er twee vrienden bij.
Ze schrok van mama's hand op haar voorhoofd. 'Wat voel je warm aan. Je hebt ook al zo'n kleur. Je zult toch geen koorts hebben?'
Eline lachte haar moeders zorgen weg. 'Nee, ik heb geen koorts. Maar een prijsuitreiking is altijd spannend.'

'Rust maar lekker uit', zei papa, 'dan zie je ons straks weer terug.'
Nu was ze weer alleen. Ze pakte het kroontje van haar hoofd en bekeek het eens goed. Voorzichtig zette ze het op het nachtkastje, naast haar glas water, haar doosje met briefjes en... een telefoon. Er stond een telefoon op haar nachtkastje! Hoe kwam het dat ze die niet eerder had gezien? Zou het een echte zijn? Toch niet zo een waar je alleen maar de verpleegster mee kon bellen? Over verpleegster gesproken, ze kwam er net aan. Het was niet dezelfde als die van vanmorgen, maar ze klonk even aardig. 'Heb jij trek in een kopje soep?'
Eline knikte, met haar gedachten ver van de soep. 'Mag ik iets vragen? Is die telefoon echt? Ik bedoel, kan ik er...'
'Je kunt er gewoon mee bellen', zei de aardige verpleegster. 'De gesprekskosten komen op je rekening.'
Opeens had Eline geen seconde meer te verliezen. Met trillende vingers toetste ze een nummer in.
'Met Yelien.'
'Yelien... met mij!'
'Lien!' Yelien schreeuwde zo hard dat Eline de hoorn iets verder weghield. 'Hoe is het? Heb je gewonnen? Ik heb je al wel tien keer gebeld vandaag. En de anderen ook.'
'Ik lig in het ziekenhuis', antwoordde Eline.
'Wat!?!' Toen bleef het stil.
'Hallo... Yelien, ben je daar nog?' vroeg Eline.
'Ik schrik me rot', zuchtte Yelien. 'Wat is er gebeurd?

Waar ben je? Gaat het? We komen naar je toe.'
Met een gerust hart liet Eline zich in de kussens vallen. Haar vriendinnen kwamen. Nu kwam alles goed. Een titel was mooi, een carrière was belangrijk, maar er ging niets boven echte vriendinnen.

Vriendinnen voor altijd

Emma is verhuisd. Helemaal alleen gaat ze naar de vreemde school. Ze kent er niemand, totaal niemand. En de anderen kennen zo ongeveer iedereen, behalve haar natuurlijk. In haar lievelingsboek *For Girls Only* leest ze: zoek iemand die ook alleen is'. Zo leert ze Katja kennen. Maar is Katja wel een echte vriendin? Al snel heeft Emma een heleboel vragen, die ze opschrijft in haar dagboek. Maar nog voor ze een antwoord vindt, loopt het fout...

Hopeloos verliefd!

Als Luca in de klas van Kato verschijnt, is ze op slag verliefd. Ze kan alleen nog aan hem denken. Maar Luca kijkt wel erg vaak naar Yelien. Zou zij ook op hem...?

Mama heeft een nieuwe vriend

Help! De mama van Eline is verliefd op een griezel! Hoe komt Eline van hem af? Met de hulp van haar hartsvriendinnen natuurlijk...

Het geheim van Yelien

Yelien ziet op klaarlichte dag haar vader op een terrasje zitten. Met een onbekende vrouw! Wie is ze, en wat moet haar vader met haar? Als dat maar goed afloopt!

SOS Manege in nood

Als de broer van Ellen op studiereis vertrekt, nemen de meiden zijn werk op de manege over. Maar het gaat niet goed met de manege, en dan wordt MacDreamy, Ellens lievelingspaard, ook nog ziek...

For Girls Only!
Alles wat coole meiden moeten weten

Wil je meer te weten komen over de puberteit, over hoe je vriendinnen maakt of snap je geen snars van jongens? Het antwoord op al je vragen staat in dit boek! Het bevat tal van handige tips, interessante adviezen en leuke weetjes.

For Girls Only!
Mijn paardenboek

Voor alle meisjes die van paarden houden is er dit prachtige paardenboek. Met een heleboel praktische informatie, leuke weetjes, handige tips en mooie foto's en tekeningen.

For Girls Only!
Geheim dagboek

In dit dagboek kunnen coole meiden al belevenissen en gevoelens neerpennen. Daarnaast kunnen de meisjes aan de slag met een heleboel belangrijke levensvragen, inspirerende quotes, emo-boxen, dromenvangers en nog veel meer.